Guía
de usos
y costumbres

Maximiano Cortés Moreno

edelsa

GRUPO DIDASCALIA, S.A.
Plaza Ciudad de Salta, 3 - 28043 MADRID - (ESPAÑA)
TEL.: (34) 914.165.511 - (34) 915.106.710
FAX: (34) 914.165.411
e-mail: edelsa@edelsa.es
www.edelsa.es

Primera edición: 2003
Primera reimpresión: 2005
Segunda reimpresión: 2006
Tercera reimpresión: 2006
Cuarta reimpresión: 2009
Quinta reimpresión: 2010
Sexta reimpresión: 2012

© Edelsa Grupo Didascalia, S.A. Madrid, 2003
Autor: Maximiano Cortés Moreno

Dirección y coordinación editorial: Departamento de Edición de Edelsa
Diseño de cubierta: Departamento de Imagen de Edelsa
Diseño y maquetación de interior: Dolors Albareda
Imprenta: Egedsa

ISBN: 978-84-7711-592-2
Depósito legal: B-27160-2010

Impreso en España
Printed in Spain

Fotografías:
Archivo Edelsa
Author's Image
Brotons
Cordon Press
Creativ collection
Dolors Albareda
Ingram Publishing
Miriam Moreno
Nuria Salido García
PhotoAlto
PhotoDisc
Ximena Feijoo

Notas:

• El detalle de los créditos fotográficos aparece al final del libro.

• La Editorial Edelsa ha solicitado los permisos de reproducción correspondientes y agradece expresamente a los particulares, empresas privadas y organismos públicos su colaboración.

A Catalina

Visto el interés creciente en todo el mundo por el estudio de la cultura española y de la insuficiencia de publicaciones existentes para su enseñanza y aprendizaje, hemos sentido la necesidad de elaborar una Guía de usos y costumbres, *que, con su amplio temario, aspira a facilitar la labor tanto de los profesores de E/LE como de sus alumnos.*

La presente obra se inicia con una introducción, en la que se abordan temas como población, geografía, política, economía, etc. La Guía *consta de un total de 28 capítulos, cada uno dedicado a un tema relacionado con los usos y costumbres de España. En la selección de los temas hemos dado prioridad a aquéllos que mayor interés suscitan entre los estudiantes extranjeros. Algunos capítulos describen tradiciones, otros presentan la realidad de la España moderna, otros orientan a los extranjeros en su vida cotidiana y, finalmente, otros informan sobre temas tan amplios y relevantes como los medios de comunicación, los medios de transporte, el turismo...*

Con el fin de ofrecer una visión objetiva de la realidad, a lo largo de la obra se ofrecen numerosas fotografías y documentos auténticos, así como gráficos y datos estadísticos actualizados.

Concluimos esta presentación con el deseo de que la consulta y lectura de esta Guía de usos y costumbres *resulte instructiva e interesante.*

El Autor

Nombre oficial: Reino de España
Superficie: 504.750 km²
Población: 40.847.371 habitantes
Capital: Madrid
PIB por habitante: 16.100 €
Idioma oficial: español
Idiomas oficiales en sus comunidades: gallego, vasco, catalán
Moneda nacional: el euro

Introducción

ALTITUD

Más de 2.000 m

1.000 - 2.000

500 - 1.000 m

0 - 500 m

España es el segundo país más extenso de la Unión Europea (UE), después de Francia. También es el segundo país más montañoso de Europa, después de Suiza. En el centro de la Península se encuentra la Meseta, una gran plataforma continental que ocupa unos 400.000 Km² y tiene una altitud media de 700 m. Una cordillera llamada Sistema Central divide la Meseta en dos mitades, la septentrional y la meridional. Los otros sistemas montañosos más importantes son: la Cordillera Cantábrica, los Pirineos -que separan España de Francia-, el Sistema Ibérico, Sierra Morena y el Sistema Bético.

1. España, geografía física, humana y económica

Datos básicos

España está situada en el sudoeste de Europa, a sólo 15 Km de África y ocupa la mayor parte de la Península Ibérica. Además del territorio peninsular, forman parte del Estado español dos archipiélagos -las Islas Canarias, en el Océano Atlántico, y las Islas Baleares, en el Mar Mediterráneo- y dos ciudades ubicadas en la costa norte de África -Ceuta y Melilla-. En total, el territorio español ocupa una superficie de 504.750 Km².

Clima

Es probable que el clima de cada zona del país ejerza una cierta influencia sobre la manera de ser de sus gentes: con frecuencia se alude al carácter abierto de los españoles del sur frente al carácter más cerrado de los del norte. Al margen de lo que en esas afirmaciones pueda haber de estereotipo, parece lógico pensar que el clima más caluroso del sur de la Península hace que la gente salga de sus casas con más facilidad y se relacione con sus vecinos, por ejemplo, sentándose en la calle a charlar con ellos después de cenar, como es costumbre en algunos pueblos. Por el contrario, en el norte peninsular, especialmente en las zonas de montaña donde el clima es más frío, es comprensible que la gente pase más tiempo en casa.

☐ *El territorio español presenta una gran variedad de climas. En la zona cantábrica y gallega el clima es marítimo de tipo europeo, con inviernos suaves, lluvias abundantes y las temperaturas en general relativamente suaves. Las costas mediterráneas tienen un régimen marítimo subtropical de veranos calurosos e inviernos templados. La Meseta tiene un clima continental. La mitad norte tiene inviernos duros y largos y veranos cortos y frescos. La mitad sur tiene veranos intensamente calurosos e inviernos relativamente suaves. En el sur de la Península el clima es subafricano, con inviernos templados y veranos muy calurosos.* ∎

(Adaptado del *Diccionario Enciclopédico Espasa*.)

Una de las características de la actual sociedad española es la acusada tendencia al envejecimiento. El crecimiento de la población es mucho más lento que en otros países de su entorno, ya que la tasa de natalidad se sitúa en el 9,9 %₀, sólo ligeramente superior a la de mortalidad (9,3 %₀). Es decir, el número de nacimientos no es muy superior al de defunciones. La media de hijos que tienen las mujeres españolas es de 1,23, muy por debajo de países como Irlanda (1,93) o Dinamarca (1,72).

En contrapartida a ese lento crecimiento natural de la población española, cabe mencionar el fenómeno de la inmigración. El número de extranjeros residentes en España crece año tras año a un ritmo muy superior al de los propios españoles.

Densidades provinciales en 2001

0 a 25
De 25 a 50
De 50 a 100
De 100 a 150

Fuente: INE, *España en cifras 2002*

Población

España cuenta con una población que supera los 40 millones de habitantes. La densidad de población es de unos 81 habitantes por Km², una de las más bajas de la UE, después de Finlandia, Suecia e Irlanda. De cada 4 españoles, 3 viven en la ciudad y sólo 1 vive en el campo.

La esperanza de vida al nacer es alrededor de 75 años en los varones y 82 en las mujeres, una de las más altas del mundo.

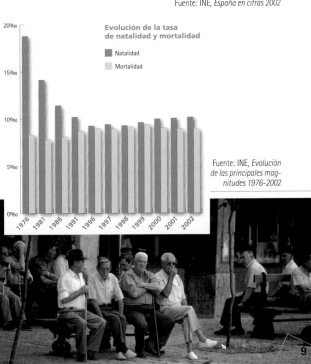

Evolución de la tasa de natalidad y mortalidad

■ Natalidad
■ Mortalidad

20%₀
15%₀
10%₀
5%₀
0%₀

1976 1981 1986 1991 1996 1997 1998 1999 2000 2001 2002

Fuente: INE, *Evolución de las principales magnitudes 1976-2002*

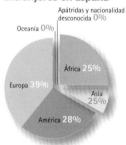

Procedencia de residentes extranjeros en España

Apátridas y nacionalidad desconocida 0%

Oceanía 0%

África 25%

Europa 39%

Asia 25%

América 28%

Fuente: INE. 2001.

Diversidad étnica

Antes de la Guerra Civil bastantes españoles emigraron por motivos económicos a Hispanoamérica: Argentina, Venezuela... Después de la Guerra Civil, a los motivos económicos se les sumó la difícil situación política y social. Numerosos españoles emigraron entonces a otros países de Europa, como Francia, Alemania, Holanda o Suiza.

En los últimos años se viene observando el fenómeno contrario: tal como ya ocurre en otros países europeos vecinos, la configuración racial de España también está empezando a cambiar, avanzando hacia una sociedad multicultural y multirracial. Las principales razones que empujan a los emigrantes a venir a España son económicas, aunque hay quien emigra también por motivos políticos, culturales o personales.

Según los datos facilitados por el INE, en el año 2001 residían en España 1.109.060 extranjeros. De ellos, aproximadamente el 46% eran mujeres y el 54%, hombres. Las procedencias principales eran Marruecos (234.937), Ecuador (84.699), Reino Unido (80.183), Alemania (62.506) y Colombia (48.710). Este colectivo prefiere residir en las Canarias, toda la costa mediterránea, especialmente Cataluña y el Levante español, y Madrid.

☐ *Para nuestra sociedad occidental, la presencia multicultural en su propio territorio le representa un desafío y una oportunidad. Se puede seguir cerrando los ojos a la diversidad y encerrarse en una defensa a ultranza de nuestros valores. O bien se puede aceptar la diversidad como tal, sin despreciarla, respetando los derechos humanos.* ■

(Adaptado de JULIANO, D. 1993. *Educación intercultural*. Madrid. Eudema)

	Resultados de las elecciones generales desde la llegada de la democracia							
	1977	1979	1982	1986	1989	1993	1996	2000
UCD[1]	165	168	11	19	14	-	-	-
PSOE	118	121	202	184	175	159	141	125
PP (AP, CD)	16	9	107	105	107	141	156	183
IU (PCE)	20	23	4	6	17	18	21	9
CiU	11	8	12	18	18	17	16	15
PNV	8	7	8	6	5	5	5	7
Otros	11	14	6	12	14	10	11	11

[1] A partir de 1986 los resultados corresponden al Centro Democrático Social (CDS), heredero de la UCD.

Fuente: Congreso de los Diputados.

Organización política

La Constitución Española de 1978 establece como forma de Estado la Monarquía parlamentaria. El Rey es el Jefe del Estado y el máximo representante de España en el extranjero. El poder ejecutivo corresponde al Gobierno de la nación y el poder legislativo, al Parlamento español, compuesto por dos cámaras, el Congreso de los Diputados y el Senado. Finalmente, el poder judicial lo ejercen los jueces con independencia de la actuación del resto de los poderes del Estado.

Cada cuatro años se celebran elecciones generales, elecciones autonómicas y elecciones municipales. Asimismo, cada 5 años se celebran elecciones al Parlamento Europeo. En todos los casos se aplica el sistema de sufragio universal. En torno al 80% de los españoles participa con regularidad en las elecciones. Ahora bien, nueve de cada diez españoles no están ni han estado jamás afiliados a ningún partido político.

España es una moderna democracia europea integrada en las principales organizaciones de carácter internacional. Forma parte, entre otras, de la UE (Unión Europea) desde el año 1986, de la OTAN (Organización del Tratado del Atlántico Norte) desde 1982, de la ONU (Organización de las Naciones Unidas) desde 1955 y de la OCDE (Organización para la Cooperación y el Desarrollo Económico) desde 1961.

Partidos políticos

La política suscita entre los ciudadanos un interés relativo: apenas el 24% confiesa sentirse muy o bastante interesado por ella. En España hay varias decenas de partidos políticos, tanto de ámbito nacional como autonómico. Los partidos españoles más importantes son:

PARTIDO POPULAR (PP)

Es un partido conservador que poco a poco ha ido ganando votos a medida que su programa político se ha ido desplazando desde la derecha hacia el centro. En 1996 dejó de ser el partido mayoritario de la oposición para convertirse en el partido del Gobierno. Sus electores son principalmente trabajadores autónomos, profesionales medios y superiores, empresarios y directivos.

PSOE PARTIDO SOCIALISTA OBRERO ESPAÑOL (PSOE)

Fue fundado en 1879 por Pablo Iglesias. En las elecciones generales de 1982 llegó al poder de la nación, donde se mantuvo hasta 1996. Sus electores son principalmente trabajadores de la industria, del sector servicios, agricultores y jubilados.

CONVERGÈNCIA I UNIÓ (CiU)

Es una coalición de ideología nacionalista moderada, votada mayormente por nacionalistas catalanes y por la burguesía catalana en general.

Además de estos dos grandes partidos nacionalistas, son muchos los minoritarios que participan con normalidad en las elecciones:

 EUSKO TA ALKARTASUNA (en el País Vasco)

 ESQUERRA REPUBLICANA DE CATALUNYA (en Cataluña)

 PARTIDO ANDALUCISTA (en Andalucía)

 COALICIÓN CANARIA (en las Islas Canarias)

 BLOQUE NACIONALISTA GALEGO (en Galicia)

 IZQUIERDA UNIDA (IU)

Es una coalición compuesta por varios partidos: el PCE (Partido Comunista de España) es el grupo mayoritario. Los electores de IU son principalmente trabajadores de la industria, de la agricultura y trabajadores en paro.

Desde la llegada de la democracia en 1975 y en consonancia con el carácter descentralizado del Estado español, los partidos de ámbito autonómico han experimentado un crecimiento constante. Los más importantes corresponden a las dos Comunidades con más tradición nacionalista, el País Vasco y Cataluña:

 PARTIDO NACIONALISTA VASCO (PNV)

Es un partido de ideología democristiana. Fue fundado en 1895 por Sabino Arana. Recibe votos principalmente de los trabajadores y de la pequeña y mediana burguesía vasca.

Indicadores económicos

En los últimos 25 años la situación económica de España ha mejorado notablemente. En la actualidad, el PIB (Producto Interior Bruto) asciende a unos 650.000 millones de euros anuales y el PIB por habitante se sitúa en torno a los 16.100 euros anuales.

A mediados de los años 70 del siglo XX, España pasó de ser un país en vías de desarrollo a ser un país desarrollado. Alrededor de diez millones de españoles emigraron en los años 50, 60 y 70 de las zonas rurales a las zonas industriales, concentradas principalmente en

Fuente: Eurostat.

PIB por habitante Miles de euros	1977	1999	2001
U-15	19,4	21,3	23,2
Alemania	22,7	24,1	25,0
Austria	22,5	24,3	25,9
Bélgica	21,3	23,0	25,0
Dinamarca	28,3	30,7	33,6
España	12,6	14,3	16,1
Finlandia	21,0	23,3	26,0
Francia	20,7	22,4	23,9
Grecia	10,2	11,2	11,9
Irlanda	19,3	23,8	30,2
Italia	17,9	19,2	21,0
Luxemburgo	36,7	42,3	48,8
Países Bajos	21,3	23,6	26,6
Portugal	9,5	10,8	12,2
Reino Unido	19,9	23,0	26,5
Suecia	23,8	25,7	26,3

5. industria textil, confección, cuero y calzado.

El sector agrícola, ganadero y pesquero también ocupa un lugar significativo en la economía de España. De entre los productos agrícolas españoles, cabe destacar los cereales, el vino, el aceite de oliva y de girasol, los cítricos y la fruta en general, la patata, el tomate, la cebolla, el algodón, el azúcar y el tabaco. En el sector ganadero destacan el ganado porcino, el ovino y el vacuno. Además, hay que mencionar las granjas avícolas, en las que se producen principalmente pollos y huevos. La pesca tiene asimismo una importancia tradicional en la economía de las zonas costeras. Dada la considerable longitud de la costa española, se comprende que los productos pesqueros sean muy diversos: sardinas, boquerones, calamares, pulpos, mejillones, almejas, gambas, langostinos...

Madrid, País Vasco, Valencia y Cataluña. España dejó de ser entonces un país eminentemente agrícola para convertirse en un país industrializado.

Hoy por hoy, España figura entre los países postindustriales con indicadores económicos similares a los de otros países de su entorno, ya que el sector de servicios ha llegado a superar al de la industria: más de diez millones de personas trabajan en aquél. En España hay aproximadamente 1.400.000 empresas de servicios y más de medio millón entre la industria

y la construcción. Las zonas de mayor actividad económica son Cataluña, Madrid, la Comunidad Valenciana y el País Vasco. Alrededor de 2.700.000 personas están ocupadas en la industria. Según el volumen de negocios de las empresas, las industrias más importantes del país son:

1. alimentación, bebidas y tabaco;
2. metalurgia y fabricación de productos metálicos;
3. industria química;
4. material y equipo eléctrico, electrónico y óptico;

Distribución de las empresas según sector económico

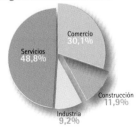

Fuente: INE, 2002

toda la Unión Europea es el euro, de modo que ya no se usa la peseta, al igual que no se utilizan las monedas de otros países miembros, como el franco, el marco, el florín, etc.

En el sector de la minería destaca la producción de hierro, carbón, plomo, cinc, estaño, cobre, mercurio...

Por lo que respecta a la energía, España es autosuficiente en energía nuclear, hidráulica y energías renovables -solar, eólica, etc.- y produce la mitad del carbón que necesita. Sin embargo, apenas si produce un 1% del petróleo y del gas natural que consume, por lo que debe importar alrededor del 99%. En España, el consumo medio anual por habitante es de 1,8 tep (tonelada equivalente de petróleo), mientras que, por ejemplo, en los Países Bajos es de 3,4 tep.

Desde el año 2002, la moneda común en prácticamente

alcanzó el 23,9% de la población activa. En 1995 se crearon aproximadamente 500.000 puestos de trabajo y en 1996, unos 400.000. En 1997 se había reducido al 20,2% y en 1998, al 18%. A finales del siglo XX la tasa continuaba descendiendo.

☐ *La tasa de paro se sitúa ya en el 8,86% de la población activa, el nivel más bajo desde diciembre de 1979. El Instituto Nacional de Empleo (INEM) contabilizó 1.487.606 personas sin empleo el mes pasado, la menor cifra de paro registrado desde enero de 1981 en términos absolutos. De estas cifras puede hacerse una lectura pesimista: más de un tercio de los contratos son temporales. Pero también, una positiva: en agosto se firmaron 74.058 nuevos contratos indefinidos, con lo que la tasa de contratación indefinida se eleva al 7,31%.■*

(Adaptado de *El País*, 5 de septiembre de 2000)

Retos económicos

El problema más preocupante de la economía española es el desempleo. El peor año fue 1994, cuando la tasa de paro

---

☐ *Los españoles producimos hoy un 60% más de bienes y servicios que hace 20 años. Al sector industrial le corresponde el 32% del Producto Interior Bruto (PIB); al sector servicios, el 65%; y al sector primario, el 3%.*

La renta per cápita en España se ha incrementado, descontada la inflación, en un 50% durante el período de los últimos 20 años.

Entre 1979 y 1995 el mayor crecimiento en la productividad se da en la agricultura (172%), que es el sector que más mano de obra ha perdido; el segundo sector es la industria (102%), seguido de la construcción (40%) y por último los servicios (15%).

El origen principal de nuestro paro se debe a varios factores: entre 1976 y 1985 se perdieron 1.700.000 empleos; desde 1991 la población activa ha aumentado en más de 700.000; han subido considerablemente los salarios y las cotizaciones sociales; como consecuencia de la crisis europea, muchos emigrantes españoles han vuelto a España.■

(Adaptado de SEVILLA, J. 1997. *La economía española ante la moneda única*. Madrid. Debate)

La tasa de desempleo más baja del país la tienen la Rioja, Navarra y Aragón; y la más alta, Andalucía y Extremadura. Por edades también hay diferencias claras: cuanto más jóvenes son las personas, tanto más alto es el índice de desempleo. Así, la incidencia más alta se da entre los más jóvenes (16-20 años) y la más baja entre las personas de más de 55 años. La población femenina también está desfavorecida en este sentido: el porcentaje de mujeres en paro es superior al de los varones.

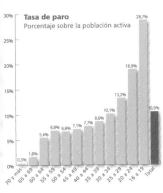

Tasa de paro
Porcentaje sobre la población activa

Fuente: INE, 2002

jo del 3%. El déficit de cada año hace que vaya ascendiendo la deuda pública, que es el dinero que debe el Estado. Actualmente en España está

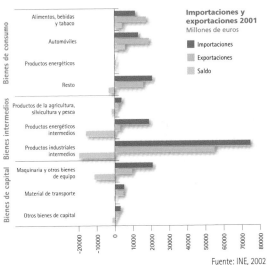

Importaciones y exportaciones 2001
Millones de euros

- Importaciones
- Exportaciones
- Saldo

Fuente: INE, 2002

de Europa, todo el continente americano y Japón. Atendiendo al valor económico, estas son las exportaciones e importaciones más importantes:

El segundo problema más importante de la economía española es el gasto del Estado, superior a los ingresos. La diferencia o saldo negativo es lo que se denomina el "déficit público", que en 1995 sobrepasó el 6% del PIB y que en 1998 se consiguió reducir por debajo del 3%.

cerca del 60% del PIB, porcentaje algo superior al de Francia o Alemania y algo inferior al de los Países Bajos. Sin embargo, en el año 2001 el Estado español logró no gastar más de lo que ingresó, consiguiendo así déficit cero y actualmente lleva 2 años con superávit.

El comercio exterior de España se lleva a cabo principalmente con otros países de la Unión Europea -sobre todo, Francia, Alemania, Italia, Reino Unido y Portugal-, así como con el resto

Cada año España paga dinero a otros países (pagos), y cobra dinero de otros países (ingresos), principalmente por el comercio de bienes y servicios y por las inversiones. Esto es lo que se llama la "balanza de pagos". Esta tiene tradicionalmente un saldo negativo para España, entre otras cosas, porque se importa más de lo que se exporta. De todos modos, el dinero que España recibe del exterior por servicios y turismo es mucho más del que gastan los españoles en el extranjero, factor que ayuda a equilibrar su balanza de pagos.

2. España, país de las autonomías

España se organiza territorialmente en municipios, provincias y comunidades autónomas. Las autonomías son cada una de las partes en las que está estructurado el territorio español.

España está compuesta por un total de 17 Comunidades Autónomas y 2 Ciudades Autónomas. Cada una de ellas posee su propio parlamento, así como un número determinado de diputados: desde 32 en La Rioja hasta 135 en Cataluña. Entre sus funciones figuran la gestión de aquellas competencias que el Estado les ha transferido, por ejemplo en materia de educación, así como la confección de los presupuestos generales para esa comunidad. El caso de las Ciudades Autónomas de Ceuta y Melilla es especial: tienen rasgos en común con las comunidades autónomas, ya que cuentan, por ejemplo, con un presidente, pero también tienen rasgos en común con cualquier otra ciudad, ya que tienen un alcalde. De hecho, el alcalde y el presidente son la misma persona.

Fiel reflejo de la configuración autonómica del Estado español es la pluralidad de lenguas que se hablan en su territorio. Todos los españoles saben hablar español o castellano, que es la lengua común y oficial del Estado español. En algunas comunidades autónomas hay, además del castellano, otra lengua oficial: gallego, vasco o catalán. En esas comunidades autónomas conviven ambas lenguas en la enseñanza, en los medios de comunicación, en los carteles públicos y en la vida privada.

Capital: **Oviedo**
Superficie: **10.656 Km²**
Gentilicio: **asturianos**
Habitantes: **1.062.998**

Asturi

A Coruña

Lugo

Pontevedra

Ourense

**Galicia
Galiza**

Capital: **Santiago de Compostela**
Superficie: **29.434 Km²**
Gentilicio: **gallegos**
Habitantes: **2.695.880**

Zam

Capital: **V**
Superficie: **94.**
Gentilicio: **castellano-**
Habitantes: **2.**

Salamanc

Cáceres

Capital: **"**
Superficie: **41.6(**
Gentilicio: **extre**
Habitantes: **1.0?**

Extremad

Badajoz

Huelva

S

Cád

CIUDAD AUTÓNOMA
Superficie: **18,50 Km²**
Gentilicio: **ceutíes**
Habitantes: **71.505**

Ceuta

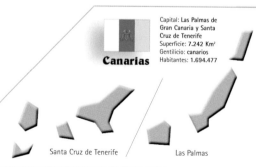

Capital: **Las Palmas de Gran Canaria y Santa Cruz de Tenerife**
Superficie: **7.242 Km²**
Gentilicio: **canarios**
Habitantes: **1.694.477**

Canarias

Santa Cruz de Tenerife / Las Palmas

Cantabria
Capital: Santander
Superficie: 5.289 Km²
Gentilicio: cántabros
Habitantes: 535.131

País Vasco
Euskadi
Capital: Vitoria (Gasteiz)
Superficie: 7.261 Km²
Gentilicio: vascos
Habitantes: 2.082.587

Navarra
Nafarroa
Capital: Pamplona (Iruña)
Superficie: 10.421 Km²
Gentilicio: navarros
Habitantes: 555.829

Vizcaya   Guipúzcoa

Palencia   Álava

Burgos   Huesca

La Rioja
Capital: Logroño
Superficie: 5.034 Km²
Gentilicio: riojanos
Habitantes: 276.702

Capital: Zaragoza
Superficie: 47.650 Km²
Gentilicio: aragoneses
Habitantes: 1.204.215

Lleida   Girona

Barcelona

Soria   Zaragoza

Aragón

Segovia

...illa y León   **Madrid**

Guadalajara

Tarragona

Cataluña
Catalunya
Capital: Barcelona
Superficie: 31.930 Km²
Gentilicio: catalanes
Habitantes: 6.343.110

...ila

Teruel

Capital: Madrid
Superficie: 7.995 Km²
Gentilicio: madrileños
Habitantes: 5.423.384

Toledo   Cuenca

Castellón

Capital: Toledo
Superficie: 79.230 Km²
Gentilicio: castellano-manchegos
Habitantes: 1.769.516

Comunidad Valenciana
Comunitat Valenciana

Castilla-La Mancha

Valencia

Ciudad Real   Albacete

Capital: Valencia
Superficie: 23.305 Km²
Gentilicio: valencianos
Habitantes: 4.162.776

Alicante

Islas Baleares
Illes Balears
Capital: Palma de Mallorca
Superficie: 5.014 Km²
Gentilicio: baleares
Habitantes: 841.669

...oba   Jaén

Murcia

Capital: Sevilla
Superficie: 87.268 Km²
Gentilicio: andaluces
Habitantes: 7.357.558

Capital: Murcia
Superficie: 11.317 Km²
Gentilicio: murcianos
Habitantes: 1.197.646

ndalucía
Almería

Granada

Murcia

...álaga

Melilla
CIUDAD AUTÓNOMA
Superficie: 14 Km²
Gentilicio: melillenses
Habitantes: 66.411

☐ 1. El castellano es la lengua oficial del Estado. Todos los españoles tienen el deber de conocerla y el derecho a usarla.

2. Las demás lenguas españolas serán también oficiales en las respectivas Comunidades Autónomas de acuerdo con sus Estatutos.

3. La riqueza de las distintas modalidades lingüísticas de España es un patrimonio cultural que será objeto de especial respeto y protección. ■
(Artículo 3° de la Constitución Española)

17

3. Breve cronología del siglo XX

1898: España pierde las últimas colonias de su antiguo imperio: Cuba, Filipinas y Puerto Rico.

1902: Alfonso XIII es coronado rey de España.

1909-1926: Guerra con Marruecos.

1912: Un anarquista asesina en Madrid a José Canalejas, presidente del Gobierno en aquel momento. Un acuerdo internacional otorga a España, en régimen de protectorado, la franja norte de Marruecos.

1923: Golpe de estado del general Primo de Rivera.

1931: Se proclama la II República. Alfonso XIII se exilia y se instala en París con el resto de la Familia Real. Se les reconoce el derecho de voto a las mujeres y se proclama la separa-

ción entre la Iglesia y el Estado. Niceto Alcalá Zamora es elegido por amplia mayoría primer presidente de la II República.

1933: Después de más de seis meses de grave inestabilidad en el Gobierno, el centro y la derecha obtienen un amplio triunfo en las elecciones generales.

1936: Los republicanos y los partidos de izquierda, agrupados en el llamado "Frente Popular", obtienen la victoria en las elecciones generales. Estalla la Guerra Civil que enfrenta a dos bandos: los franquistas y los partidarios de la República.

1939: El Gobierno republicano se exilia en Francia. Manuel Azaña dimite como presidente. El 1 de abril se firma la rendición del ejército republicano y termina la Guerra Civil. El general Franco es el nuevo jefe del Estado.

1946: La ONU (Organización de las Naciones Unidas) condena el régimen de Franco y recomienda la retirada de embajadores. En España, se suceden grandes manifestaciones de rechazo a la ONU y en apoyo del Gobierno.

1955: España ingresa por consenso en la ONU.

1956: España y Francia ponen fin al régimen de protectorado y reconocen la independencia de Marruecos.

1960: Fuerte ajuste de la economía española. La devaluación de la peseta, junto con la prosperidad del centro y el norte de Europa Occidental, atraen a millones de turistas hacia las playas españolas.

1968: Se agudizan las protestas estudiantiles en la universidad. La organización separatista vasca ETA comete sus dos primeros atentados: un guardia civil de Tráfico y un comisario de Policía mueren a manos de la banda armada.

1973: Se produce en Pamplona la primera huelga general desde la Guerra Civil. Franco cede la presidencia del Gobierno al almirante Carrero Blanco, asesinado meses después por la banda terrorista ETA. Conmoción política en la sociedad española. Franco designa como nuevo presidente a un civil, Carlos Arias Navarro, el primero desde 1936.

1975: *El general Francisco Franco muere en Madrid tras una prolongada agonía. Don Juan Carlos I es coronado rey de España.*

1977: *El Gobierno legaliza el Partido Comunista de España. Regresan del exilio, entre otros, el poeta Rafael Alberti y la dirigente comunista Dolores Ibárruri. Se celebran las primeras elecciones generales desde 1936; la UCD (Unión del Centro Democrático) obtiene la victoria con 167 escaños de un total de 350; el segundo partido es el PSOE (Partido Socialista Obrero Español) con 118 escaños, seguido del PCE con 20. Adolfo Suárez es nombrado presidente del Gobierno.*

El poeta Vicente Aleixandre recibe el Premio Nobel de Literatura en reconocimiento a toda una generación, la del 27, de magníficos escritores, muchos de ellos vinculados en mayor o menor medida con la causa republicana.

1978: *Se aprueba en referéndum la nueva Constitución Española con el 87,87% de los votos a favor.*

1981: *Adolfo Suárez dimite como presidente del Gobierno. Intento de golpe de estado que fracasa veinticuatro horas más tarde. Leopoldo Calvo Sotelo es investido nuevo presidente del Gobierno. El Parlamento aprueba el ingreso de España en la OTAN (Organización del Tratado del Atlántico Norte). Se aprueba la ley del divorcio.*

España recupera el cuadro de Pablo Picasso, el Guernica, encargado por el Gobierno de la II República con motivo de la Exposición Universal de París de 1937.

1982: *El PSOE gana las elecciones generales y Felipe González es nombrado presidente del Gobierno. Por primera vez, el sector servicios ocupa a más de la mitad de la población activa.*

1986: *España ingresa en la CEE (Comunidad Económica Europea) y en la OTAN (Organización del Tratado Atlántico Norte). Comienza un ciclo de cinco años de fuerte crecimiento económico, que permite la recuperación del empleo. El PSOE vuelve a ganar las elecciones generales.*

1989: *España ejerce por primera vez la presidencia de la Comunidad Europea. El PSOE repite victoria en las elecciones generales.*

El novelista gallego Camilo José Cela obtiene el Premio Nobel de Literatura.

1992: *Con motivo del V Centenario del Descubrimiento de América se inaugura en Sevilla la Exposición Universal. Se celebran los Juegos Olímpicos en Barcelona. Madrid es proclamada Capital Cultural de Europa.*

1996: *El PP (Partido Popular, de centro derecha) gana por primera vez unas elecciones generales. José María Aznar es nombrado presidente del Gobierno.*

1997: *España se integra en la estructura militar de la OTAN.*

2000: *El Partido Popular vence por mayoría absoluta en las elecciones generales.*

2002: *El PP sufre la primera huelga general desde que accediera al Gobierno.*

Durante medio siglo España ha ofrecido al mundo una imagen parcial de su cultura popular. Sin embargo, los diversos intercambios a lo largo de la historia entre la población autóctona y diferentes pueblos como los romanos, los árabes o los germanos, entre otros, han originado una cultura popular sumamente rica que encuentra su fiel reflejo en el folclore. En la actualidad, distintas iniciativas, tanto del Gobierno central como de las diferentes comunidades autónomas, tratan de promover esta diversidad cultural.

1) El flamenco

Origen y evolución • Componentes y estilos • Difusión • Figuras representativas

2) Bailes y danzas regionales

La muñeira • El bolero • El chotis • La jota • La sardana • El zorcico

Bailes y danzas

1

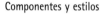

1. El flamenco

La imagen más difundida de España está asociada al flamenco y a la guitarra española, probablemente porque a lo largo de 50 años se ha exportado una visión parcial de la gran riqueza folclórica del país. De cualquier forma, el flamenco suscita un gran interés en el panorama nacional e internacional, de ahí que merezca una atención especial.

Origen y evolución

Aunque no se conoce con exactitud el origen del flamenco, todo hace pensar que lo crearon los gitanos a partir de cuatro tipos de música: árabe, hebrea, bizantina e hindú. Los primeros cantaores de que se tiene noticia vivieron a finales del siglo XVIII, pero sus orígenes posiblemente se remontan al siglo XIV. La misma palabra "flamenco", según una de las varias teorías, quizás procede de la expresión árabe *felag mangu*, que significa "campesino fugitivo".

Si bien el flamenco nació como un arte popular y espontáneo, con el transcurso del tiempo las actuaciones comerciales han ido en aumento. En numerosos puntos de la geografía española se organizan periódicamente tablaos flamencos, que atraen tanto al público español como a un buen número de extranjeros. Desde hace ya bastantes años, también en el exterior hay una creciente oferta de espectáculos de flamenco, hecho que supone una importante proyección internacional para el patrimonio cultural español.

Componentes y estilos

Los tres componentes principales del flamenco son el cante, la música de guitarra y el baile. De un modo genérico, se habla del "cante jondo" o "grande", en el que se abordan temas trascendentales como la muerte, la agonía y la religión, frente al

"género chico", en el que se tratan temas más mundanos, como el amor o la naturaleza. Existen diversos estilos de flamenco: soleares, alegrías, bulerías, fandangos, malagueñas, rumbas, *seguiriyas*... o las típicas saetas de Semana Santa.

Difusión

El flamenco es muy popular en toda Andalucía. En otras zonas de España también hay bastantes aficionados, entre otras razones, porque después de la Guerra Civil (1936-39) millones de andaluces emigraron a las grandes zonas industriales, como Madrid, País Vasco, Cataluña y Valencia, adonde llevaron sus tradiciones. La televisión también ha contribuido a la difusión del flamenco por todo el país.

Figuras representativas

Algunas de las figuras más conocidas del flamenco de los últimos tiempos son los bailaores Antonio Gades, Carmen Amaya y Joaquín Cortés, los cantaores Camarón de la Isla, Niña de La Puebla, Niña Pastori, Pepe Marchena y José Mercé y los guitarristas Paco de Lucía y Tomatito, entre otros.

☐ JOAQUÍN CORTÉS nació en Córdoba en 1969. Ingresó en el Ballet Nacional de España con 15 años y ascendió a la categoría de solista. Con esta compañía viajó por todo el mundo y actuó en teatros como el Metropolitan Opera House de Nueva York o el Palacio de Congresos del Kremlin de Moscú.

Posteriormente ha actuado en numerosos países: en el Festival Flamenco de Verano de Tokio, en el Lincoln Center de Nueva York, en el Teatro de los Campos Elíseos de París, en Italia, en Venezuela, Australia, Canadá...■

(Adaptado de www.flamenco-world.com)

☐ PACO DE LUCÍA nació en Algeciras en 1947. Este guitarrista es quizás el más universal de los flamencos: ya a finales de los sesenta su arte había sido reconocido en todo el mundo. Su permanente inquietud innovadora ha recibido las críticas de los más puristas. Sin embargo, sus constantes aportaciones le convirtieron en el mayor revolucionario de la música flamenca.

Además, sus intentos de aproximación a otras músicas no sólo enriquecieron su arte sino que tuvieron gran influencia en el flamenco posterior. No sabe música y todo lo ha aprendido con la intuición. Reconoce que carece de técnica musical, pero en cambio tiene recursos que él mismo se ha inventado. Ha intervenido en varias películas.■

(Adaptado de www.flamenco-world.com)

☐ ANTONIO GADES nació en Elda (Alicante) en 1936. A los 16 años comenzó en la compañía de Pilar López, como uno más del cuerpo de baile y terminó siendo primer bailarín. A Pilar le agradece que le enseñara antes la ética que la estética de la danza. Muy sensible, muy cultivado, muy inquieto, siempre busca. En su obra cabe destacar, entre otras, Bodas de sangre y El amor brujo.

Él ha sabido unir el legado artístico español con el sentido estético universal del baile. Él ha sabido incorporar a la delicadeza expresiva de la danza de escuela la furia trágica del flamenco: una mágica fusión de elementos cultos y populares.■

(Adaptado de www.flamenco-world.com)

1

2. Bailes y danzas regionales

Cada una de las 17 Comunidades Autónomas de España tiene su propia tradición musical, con sus cantos y danzas autóctonos. Esta gran variedad folclórica refleja la enorme riqueza cultural del país.

☐ La muñeira o gallegada es una danza muy vistosa, típica no sólo de Galicia, sino también de Asturias. Consta de una parte para ejecutar los puntos y otra para las vueltas. Tiene un ritmo rápido y alegre. La danza suele acompañarse de canto y música típica celta: con gaita o cornamusa, tamboril, bombo y pandereta. ■
(Adaptado de www.mundivia.es)

El bolero

El baile del bolero está documentado desde 1780. Es típico en Andalucía, en Castilla y en Mallorca. Se baila en parejas; es bastante animado, con un ritmo bien marcado y pasos complejos. Se van alternando unos pasos rápidos con otros lentos y algunos momentos de pausa. El baile se acompaña de música de guitarra, tamboril y castañuelas.

Muñeiras
Gallegadas

Corri-corri
Giralda

Baile de Ibio
Danza del romance
conde de Lara

Asturias

Cantabria

Galicia

Castilla y
León

Danzas de espadas
Danzas de palos

Mad

Bolero
Chotis
Pasodoble

Extremadura

Jota
Fandango extremeño

Andalucía

Fandango manchego
Seguidillas manchegas

Fandangos
Malagueñas
Peteneras
Rumbas
Saetas
Seguiriyas
Soleares
Sevillanas

Folías
Isas

Canarias

Arkudantza
Aurresku
Espatadantza
Zortziko

Danzas del Baztán
Baile de la Era

Danza de la Virgen
Blanca

Balls de bastons
Balls de gitanes
Sardana

Navarra

Aragón

Cataluña

Dances
Jota

Bolero
Copeo
Jota mallorquina

Baleares

Comunidad
Valenciana

Murcia

Dansaes
Xàquera vella
Copeo

Auroras de las
hermandades de
huertanos
Parranda

La jota

La jota está documentada desde finales del siglo XVII. En un principio sólo era un canto improvisado de temática variada. Posteriormente, el canto empezó a acompañarse de música de guitarra y de baile por parejas, como danza de cortejo. El hombre y la mujer se colocan frente a frente y bailan saltando, con los brazos en alto y tocando las castañuelas.

La sardana

La sardana es característica de Cataluña. Aparece en un documento de 1552. Se baila en un círculo formado por un mínimo de dos personas que se cogen de las manos y van ejecutando alternativamente una serie de pasos cortos y otra serie de pasos largos; el círculo va girando en uno y otro sentido alternativamente. Se acompaña de música de varios instrumentos de viento y timbales.

El zorcico

El *zortziko* o zorcico es propio del País Vasco. El baile se acompaña de canto y de música de chistu y tamboril.

☐ *El chotis es un baile típico de Madrid. Llegó a esta ciudad en 1850. El hombre sujeta con una mano a la mujer y la otra la mete en el bolsillo del chaleco; con los dos pies juntos y mirando al frente gira en redondo sobre las punteras de sus zapatos, mientras la mujer baila a su alrededor. Cuando la música lo indica, la pareja da tres pasos hacia atrás y tres hacia adelante y luego empiezan otra vez los giros.*■

(Adaptado de www.nova.es)

2 Bares y restaurantes

¿Qué diferencia hay entre un bar y un restaurante? En realidad, la diferencia entre uno y otro no está en todos los casos clara, prueba de ello es que en la fachada de muchos de estos establecimientos hay un cartel que pone "bar restaurante". Por supuesto, hay una gran distancia entre un lujoso restaurante y un modesto bar, pero también hay bares lujosos y restaurantes más modestos.

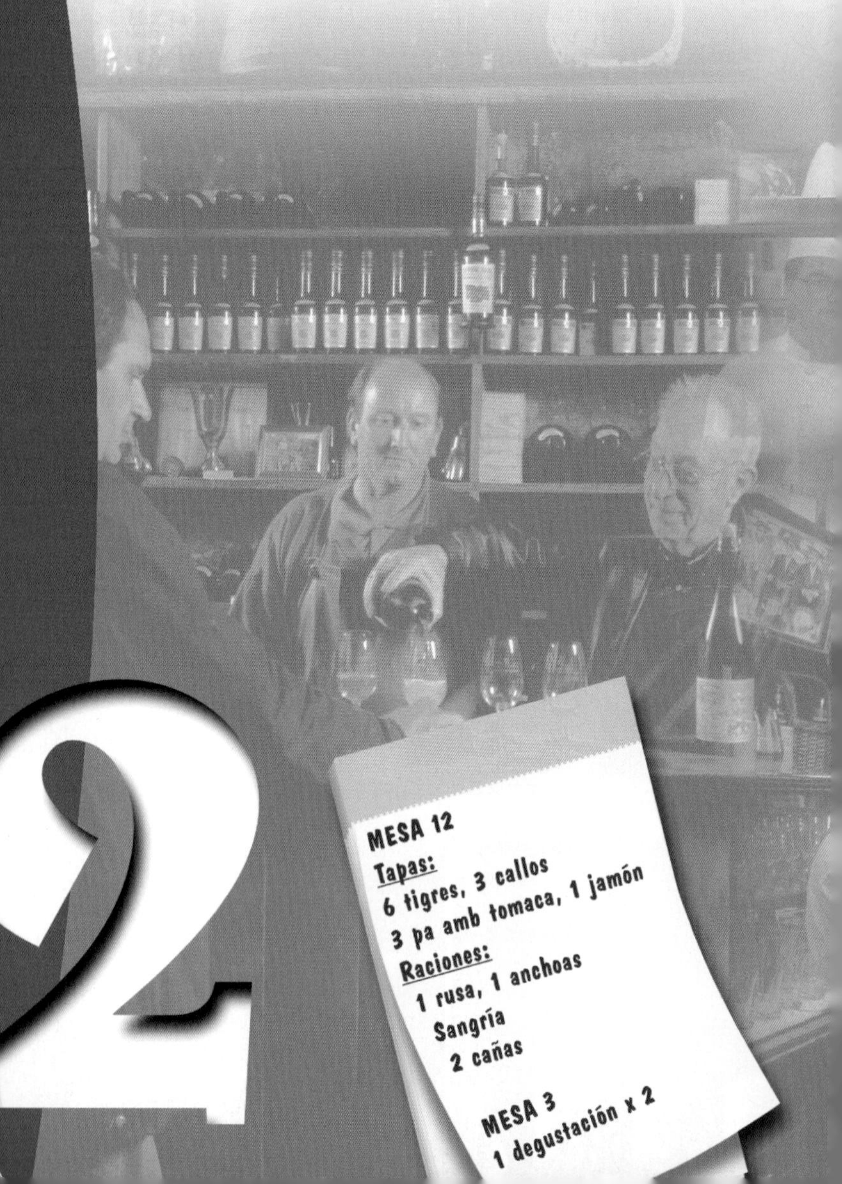

MESA 12
Tapas:
6 tigres, 3 callos
3 pa amb tomaca, 1 jamón
Raciones:
1 rusa, 1 anchoas
Sangría
2 cañas
MESA 3
1 degustación x 2

1) Bares

¿Qué tomar? • ¿Cómo pagar?

2) Restaurantes

¿Qué tomar? • ¿Cómo vestirse? • ¿Cómo comportarse?

3) Otros establecimientos

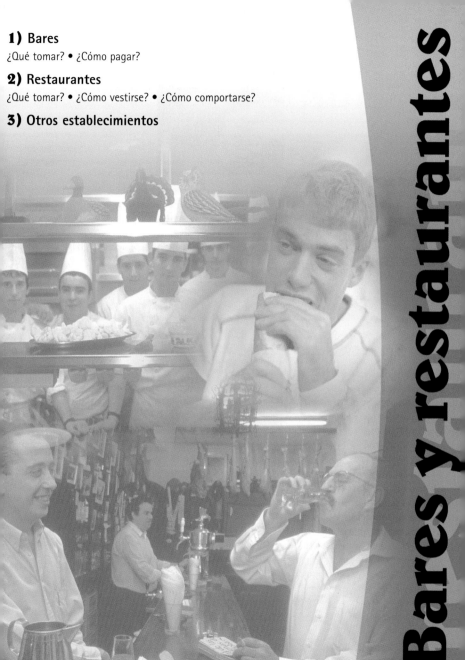

Bares y restaurantes

que lo permitan las ordenanzas municipales. Esa zona exterior del bar se llama "terraza". De ahí que en verano en España

tomar tapas, raciones o bocadillos y en muchos incluso un menú completo. Las tapas y las raciones consisten en lo mismo, sólo se diferencian en la cantidad y en el precio. Las tapas son pequeñas porciones de comida que acompañan a la bebida que se toma y las raciones son cantidades mayores de esa misma comida. Las tapas y raciones pueden ser de patatas bravas, de aceitunas, de croquetas, de tortilla, de pescado, de carne, etc. Cuando no apetece una comida convencional de dos platos y postre, una alternativa común es comer de tapas o ir de tapas. De todos modos, el "tapeo", que también se llama así, no siempre sustituye al almuerzo o a la cena: con frecuencia sirve más bien para picar algo mientras llega la hora de almorzar o de cenar.

1. Bares

En cualquier pueblo de España, por pequeño que sea, suele haber algún bar. Y en cualquier ciudad probablemente habrá más calles con bares que sin ellos. La abundancia de este tipo de locales responde a una tradición de los españoles: salir a tomar algo. El bar, además de un lugar para beber y comer, es un punto de encuentro en el que la gente suele reunirse con los amigos para charlar, para jugar a las cartas, para ver un partido de fútbol en la tele, etc.

En las épocas de buen tiempo, muchos bares colocan mesas y sillas fuera, en la acera, siempre

se hable con frecuencia de "ir a una terraza" o de "buscar una terraza" para tomar algo.

Los bares y terrazas abren desde la mañana hasta la noche y no cierran al mediodía.

Por norma, el camarero siempre trata de usted a los clientes, aun cuando algunos lo tuteen.

¿Qué tomar?

En los bares no sólo se bebe, también se come: se pueden

¿Cómo pagar?

En un mismo bar es posible que una misma consumición tenga tres precios distintos: uno normal, si la tomamos en una mesa del interior, otro reducido, si la tomamos en la barra, y otro con suplemento, si la tomamos en la terraza.

que tome la iniciativa e invite a los demás. De alguien que nunca invita, pero que siempre se deja invitar, se dice que "es un gorrón" o que "va de gorra".

En los bares es habitual, aunque no obligatorio, darle propi-

En algunos bares, sobre todo si nos sentamos en la terraza, es normal que el camarero, al traernos las consumiciones, nos entregue la cuenta. En otros, son los clientes los que deben tomar la iniciativa a la hora de pagar levantando la mano, con el fin de llamar la atención del camarero, y cuando éste mira, pidiendo la cuenta: "¿Me trae la cuenta?", "¿Me dice cuánto le debo?".

Lo cortés es pagar no sólo la propia consumición, sino también las de los amigos: eso se llama "pagar una ronda". En otro momento será otra persona la

na al camarero. La cantidad depende del lugar, del servicio que nos ha prestado el camarero y de nuestra disponibilidad económica. De todos modos, y como norma general, la propina suele ir en proporción al importe de la consumición, aunque es el cliente el que decide cuánto dejar en cada caso.

2. Restaurantes

En España hay una amplia oferta de establecimientos donde se sirve comida casera más o menos elaborada. El abanico de restaurantes, mesones, tascas, asadores, sidrerías y casas de comidas es muy amplio. En las grandes ciudades es posible encontrar, además, restaurantes de las más diversas procedencias geográficas: italianos, franceses, alemanes, mexicanos, cubanos... De entre ellos cabe destacar por su presencia los restaurantes chinos y las pizzerías, que cuentan también con una gran aceptación entre los españoles.

Los restaurantes tienen un horario de servicio al público más reducido que los bares: en general abren a la hora de almorzar (13:00-16:00) y a la

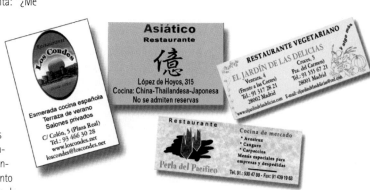

hora de cenar (20:00-24:00), pero la cocina está cerrada por la mañana, por la tarde y de madrugada.

Comida a la carta: el camarero trae la carta, en la que aparece una lista de platos clasificados en entrantes (calientes o fríos), pescados, verduras, etc., entre los que se escogerán los platos o el plato que se vaya a tomar. Al lado de cada plato figura el precio en euros.

En los restaurantes con opciones más económicas, hay dos posibilidades:

Menú del día: hay una variedad limitada de platos -generalmente dos o tres opciones- de entre los que cada cliente escoge un primer plato, un segundo, una bebida, un postre o un café. El precio es fijo y normalmente suele estar en torno a los seis o nueve euros.

Plato combinado: como su nombre indica, consiste en un solo plato en el que nos sirven varios alimentos, por ejemplo un filete de ternera, patatas fritas, un tomate asado y una loncha de berenjena rebozada. En el precio del plato combinado no están incluidos ni el postre ni la bebida.

En los restaurantes no es frecuente servir bocadillos o tapas.

¿Cómo vestirse?

El tipo de ropa que se pone la gente para ir a un restaurante depende, por una parte, de la categoría y del lujo del restaurante y, por otra, de la situación: no es lo mismo una comida con la familia o una cena con la pareja que, por ejemplo, un almuerzo de trabajo. Dependiendo de estos dos factores se puede elegir ropa deportiva, elegante, de etiqueta, etc.

¿Cómo comportarse?

En situaciones formales muchas de las normas que se observan son internacionales. Sin embargo, algunas varían, por ejemplo, en España comer ciertos mariscos con las manos es aceptado.

¿Qué tomar?

Los restaurantes están clasificados en cinco categorías: desde un tenedor, los más económicos, hasta los de cinco tenedores, los más lujosos.

Cuando vamos a comer a un restaurante tenemos varias opciones:

En situaciones informales se observan pocas reglas, cada uno come a su manera y es normal coger algunos alimentos con las manos, por ejemplo, el jamón o las aceitunas.

Es importante saber reclamar en un restaurante. Por lo general, se justifica la reclamación y se da una razón por la cual se produce la queja y no simplemente se protesta.

3. Otros establecimientos

Además de los bares y los restaurantes, existen otros establecimientos en los que también se puede comer y beber: sandwicherías, bodegas, cafeterías, heladerías... En los últimos años han proliferado de una manera espectacular los restaurantes de "comida rápida" entre los que destacan los llamados *"burger"*, pensados para un público joven y con menos recursos económicos.

En España existe una gran variedad de bebidas. Esa diversidad es un reflejo de su importancia en la cultura española: se puede seleccionar la más apropiada para cada persona y para cada ocasión. Ciertas bebidas son idóneas para saciar la sed, por ejemplo, la limonada; algunas son nutritivas, como la horchata de chufa; otras son medicinales, por ejemplo, las infusiones. Ciertos vinos, como el Manzanilla o el Jerez, suelen tomarse fuera de las comidas, acompañados de tapas, mientras que otros se toman acompañando las comidas: el tinto para la carne, el blanco para el pescado y el espumoso para el postre. Los licores más fuertes, como el aguardiente o el pacharán, se reservan para después de las comidas.

1) Bebidas no alcohólicas

2) Bebidas alcohólicas

El vino • La cerveza • Otras bebidas

3) Producción y consumo de bebidas alcohólicas

El fenómeno del "botellón"

menos dos siglos de historia. Se prepara a base de chufas, agua y azúcar. La bebida es blanca como la leche.

1. Bebidas no alcohólicas

La mayoría de las bebidas no alcohólicas que se toman en España son las mismas que en cualquier otro país: refrescos, zumo, naranjada, limonada... y, por supuesto, agua. El agua mineral en botella puede ser con gas o natural: esta información aparece siempre especificada en la etiqueta.

Otras bebidas no alcohólicas que se consumen en España son los granizados, los batidos, la horchata y las infusiones.

Un granizado es una bebida a medio camino entre una naranjada y un polo de naranja o entre una limonada y un polo de limón, o entre un café y un polo de café. Contienen una parte líquida y otra de hielo triturado.

Un batido es una mezcla de leche y otra bebida dulce como por ejemplo zumo de fruta, chocolate o vainilla.

La horchata de chufa es una bebida típica de la zona de Valencia. Cuenta ya con al

Una infusión se prepara hirviendo agua y después añadiendo al agua unas hojas o flores de alguna planta medicinal. Algunas personas toman infusiones en lugar de café.

Los granizados, los batidos y la horchata se toman solos, fríos y fuera de las comidas, más bien por la tarde o por la noche. Las infusiones se toman calientes a cualquier hora del día.

2. Bebidas alcohólicas

El vino

El vino cuenta con una tradición milenaria en España. Los fenicios, habitantes de Fenicia, un antiguo país de Asia, introdujeron en la Península el cultivo de la vid y el vino.

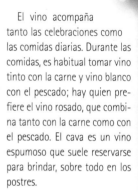

El vino acompaña tanto las celebraciones como las comidas diarias. Durante las comidas, es habitual tomar vino tinto con la carne y vino blanco con el pescado; hay quien prefiere el vino rosado, que combina tanto con la carne como con el pescado. El cava es un vino espumoso que suele reservarse para brindar, sobre todo en los postres.

Algunos vinos españoles gozan de una excelente reputación mundial, como los de Rioja, Ribera del Duero, Jerez o los blancos y el cava del Penedés, en Cataluña. Pero la verdad es que existen más de cien tipos de vinos y las zonas vitícolas están repartidas por todo el país, de modo que casi cada comunidad autónoma tiene su propia variedad.

Con el objeto de evitar confusiones entre los consumidores y garantizar la procedencia y la calidad de cada tipo de vino, en las etiquetas de las botellas figura lo que se llama "denominación de origen", por ejemplo, Albariño, Cariñena,

VINOS ESPAÑOLES
Denominación de origen

En Andalucía: *Jerez, Manzanilla, Málaga y Moscatel.* En Aragón: *Campo de Cariñena, Campo de Borja y Somontano.* En Canarias: *Malvasía de La Palma.* En Castilla-La Mancha: *Valdepeñas y Villarrobledo.* En Castilla y León: *Ribera del Duero, Rueda y Toro.* En Cataluña: *Penedés, Priorato, Ampurdán y Costers del Segre.* En Extremadura: *Tierra de Barros.* En Galicia: *Albariño y Ribeiro.* En La Rioja: *Rioja.* En Madrid: *Colmenar de Oreja.* En Murcia: *Jumilla y Campo de Cartagena.* En Navarra: *Corella y Tudela.* En la Comunidad Valenciana: *Utiel y Requena.* En el País Vasco: *Chacolí y Rioja alavesa.*

CALIFICACIÓN DE AÑADAS

AÑO: 82 83 84 85 86 87 88 89 90 91 92 93 94 95 96 97

rzo
po de Borja
iñena
sters del Segre
illa
Mancha
varra
enedés
ibera del Duero
ioja
omontano
oro
tiel-Requena
aldepeñas
Vinos de Madrid
Yecla

• Malo ■ Regular ▪ Bueno ▪ Muy bueno ▪ Excelente

TINTO
Castillo de OLITE

NAVARRA
DENOMINACIÓN DE ORIGEN

12% Vol.
750 mL.

SELECCIONADO POR
Unión de Bodegas Artesanas

Jerez, Jumilla, Málaga, Montilla, Penedés, Rioja...

El vermú es un vino dulce de unos 15 grados que se toma solo o con hielo, con una rodaja de limón y con una aceituna, acompañado de patatas fritas, berberechos, etc.; es lo que se llama el "aperitivo".

Otra bebida alcohólica española de fama internacional es la sangría, cuyos ingredientes básicos son el vino tinto y la limonada; a ellos se les añade algo de azúcar, trocitos de fruta -naranja, limón, melocotón...- y, si se desea, también algún licor, como el ron o la ginebra. Se bebe con más frecuencia en verano.

La cerveza

La cerveza se introdujo en España en el siglo XVI, siguiendo las instrucciones del emperador Carlos V, pero parece que hasta el siglo XVII no empezó a tener éxito entre los españoles. En la actualidad es bastante popular, en buena parte gracias a su precio tan asequible. Se consume mucho más en verano que en invierno, pero, sea cuando sea, siempre se toma fría.

LA RECETA DE LA SANGRÍA

Ingredientes

- 1 l. de vino tinto
- 1 lata de Fanta de limón
- 1 chorrito de ginebra
- 1 chorrito de cointreau
- 1 chorrito de coñac
- 1 ramita de canela
- 1 melocotón troceado
- Azúcar al gusto
- Rodajas de limón

Mezclar en una jarra el vino con la Fanta, los licores y el azúcar y remover bien. Luego, añadir la canela, los trocitos de melocotón y las rodajas de limón y seguir removiendo. Dejar reposar durante 30 minutos para que la fruta macere. Servir frío con cubitos de hielo.

Otras bebidas

Al margen del vino y la cerveza, en prácticamente cada comunidad autónoma hay alguna otra bebida típica:

En Andalucía: el aguardiente de Cazalla.

En Asturias: la sidra, que se obtiene a partir de zumo de manzana.

En Castilla-La Mancha: el resoli o resolí, un aguardiente con canela, azúcar y otros ingredientes olorosos.

En las Islas Baleares y en Cataluña: la ratafía, especie de resoli hecho con ciertas frutas como cerezas, nueces, etc.

En Galicia: el aguardiente de orujo, elaborado a partir de las pieles de las uvas.

En Navarra: el pacharán, aguardiente hecho con endrinas o ciruelas de montaña.

En español hay un variado vocabulario para pedir una cerveza en un bar. Una caña, un tubo, un quinto o un botellín tienen 200 c.c. Una jarra, una mediana o un tercio tienen 330 c.c. Una litrona o un tanque tienen 1.000 c.c. El uso de estas palabras varía de una a otra zona de España. Así, por ejemplo, en Andalucía se prefiere tubo, botellín y tercio, mientras que en Cataluña se usa más caña, quinto y mediana.

El vino, la cerveza y la sidra suelen tomarse acompañados de comida. Los aguardientes, en cambio, se toman solos, preferentemente después de las comidas, en la sobremesa, o sea, el espacio de tiempo en el que se permanece en la mesa charlando después del postre.

ducto Nacional Bruto, alrededor de 9.000 millones de euros. Al año se producen aproximadamente 33.700 hectolitros de vino y 26.800 millones de hectolitros de cerveza. España es el tercer país productor de vino del mundo, después de Francia e Italia, y el décimo de cerveza.

3. Producción y consumo de bebidas alcohólicas

En España la elaboración de bebidas alcohólicas genera un porcentaje importante del Pro-

Al mismo tiempo, es uno de los mayores consumidores de bebidas alcohólicas: según las estadísticas elaboradas por el Ministerio de Sanidad y Consumo, al año se consumen unos 10 litros de alcohol puro per cápita. De todos modos, no se debe generalizar: de cada 4 hombres, 1 es abstemio, y de cada 4 mujeres, 2 son abstemias. Existen diferencias en el consumo según el sexo y la edad: los mayores consumidores son los grupos de 16 a 24 y de 25 a 44 años. Según los estudios del Gobierno, los españoles empiezan a tomar alcohol a una edad cada vez más temprana. Parece, pues, que se están produciendo cambios en los hábitos de consumo de bebidas alcohólicas, especialmente entre los sectores más jóvenes de la sociedad española. Actualmente, existe una prohibición de servir bebidas alcohólicas a los menores. Lo

que se entiende por menores no es, en este caso, exactamente igual en todas las comunidades autónomas, pero en cualquiera de ellas el límite de edad legal está fijado entre los 16 y los 18 años. Una de las últimas medidas adoptadas para reducir el consumo entre los jóvenes ha sido el control de la publicidad de las bebidas alco-

hólicas, muy en especial en la televisión, que es el medio de comunicación que más llega a ese público.

El fenómeno del "botellón"

En los últimos años ha surgido un fenómeno denominado popularmente "el botellón". El nombre procede de la práctica de algunos jóvenes de tomar una botella grande (de 1,5 l. o de 2 l.) y mezclar en ella una bebida refrescante, como naranjada o limonada, con una proporción considerable de licor de alta graduación, como ginebra o *whisky*. Los aficionados al "botellón" suelen consumirlo en compañía de sus amigos, en alguna plaza o parque público, principalmente el viernes o el sábado por la noche. Los jóvenes aficionados reclaman el derecho a consumir bebidas alcohólicas en esos lugares públicos, mientras que varias autoridades están tomando medidas para prohibir esta práctica. Las Comunidades Autónomas de Castilla y León, Valencia, Cantabria, Canarias y Madrid han sido las primeras en prohibir la venta y consumo de este tipo de bebidas en la vía pública, salvo en lugares autorizados, como las terrazas de los bares, o en ocasiones especiales, como determinados días de fiesta.

Muchas celebraciones de los españoles son laicas, como por ejemplo el cumpleaños y otros aniversarios, el final de los estudios o la compra de una vivienda. Otras son religiosas, como el bautizo, la primera comunión, etc. y otras dependen de cada caso. Todas ellas tienen en común el deseo de compartir con alguien más los momentos importantes de la vida.

Celebraciones

4

1) Celebraciones familiares y sociales

El cumpleaños • Celebraciones relacionadas con los estudios • Celebraciones relacionadas con el trabajo • Otras celebraciones

2) La boda

La petición de mano • Los preparativos de la boda • La ceremonia de la boda • El banquete de bodas • Los aniversarios de la pareja

3) Ceremonias religiosas

El bautizo • La primera comunión • El día del santo • El funeral

Celebraciones

4

1. Celebraciones familiares y sociales

El cumpleaños

El cumpleaños es el día del calendario en el que una persona cumple un año más, es decir, el aniversario de su nacimiento.

Es un día importante, sobre todo para los niños. Además, algunos cumpleaños marcan el principio de una etapa en la vida: al cumplir los 18, por ejemplo, uno deja de ser menor y alcanza la mayoría de edad.

El cumpleaños es un motivo de celebración, tanto para uno mismo como para las personas más cercanas: en ese día es costumbre invitar a los amigos y familiares a almorzar, a merendar o a cenar, y los invitados hacen regalos. El postre tradicional es un pastel de cumpleaños, adornado con tantas velas como años se cumplan; se encienden las velas y el protagonista de la fiesta debe apagarlas todas de un solo soplo, al tiempo que formula un deseo.

En los cumpleaños se canta:

Cumpleaños feliz,
cumpleaños feliz.
Te deseamos todos
cumpleaños feliz.

Una curiosa costumbre consiste en darle a quien cumple años tantos tirones de orejas como años cumpla: si la persona cumple 20 años, cada asistente a la fiesta tiene derecho a "tirarle" cariñosamente 20 veces de una oreja.

No hay problema en preguntarle a una persona la fecha de su cumpleaños. Otra cuestión más delicada es preguntarle directamente la edad.

Celebraciones relacionadas con los estudios

El final de cualquier período de estudios puede ser motivo de celebración. Así, se organizan fiestas de fin de curso en las guarderías, en las escuelas, en los institutos, en las academias, en las universidades, etc. Conforme se van haciendo mayores los alumnos, también empiezan a organizar viajes de fin de curso. Dado que la mayoría no trabaja todavía, suelen organizar algún pequeño negocio para obtener dinero, como, por ejemplo, vender participaciones de la Lotería de Navidad, celebrar alguna fiesta y cobrar la entrada, las consumiciones... Otra práctica común es vender papeletas para sortear una cesta de Navidad: cada papeleta tiene un número escrito; se hace un sorteo y quien tenga el número premiado recibe la cesta.

Asimismo, es tradicional organizar fiestas de fin de estudios y viajes de fin de estudios al finalizar una etapa educativa, por ejemplo, la Educación Secundaria Obligatoria o el Bachillerato. Entre los universitarios, son habituales las fiestas de fin de carrera y los viajes de fin de carrera. Cuando uno obtiene un título de máster o de doctor, también es frecuente celebrar) no sólo con los propios compañeros de clase, sino también con otros amigos y / o familiares.

Celebraciones relacionadas con el trabajo

Bastantes españoles consideran que conseguir su primer empleo es motivo de celebración. Si, al cabo de cierto tiempo, uno encuentra un empleo mejor, puede haber una nueva celebración. Lo mismo ocurre si uno obtiene un ascenso de categoría importante en su empresa. El modo concreto de celebrar estos acontecimientos varía en cada caso: se puede organizar una cena en un restaurante con la pareja, la familia o con otros compañeros de trabajo, por ejemplo.

Es bastante frecuente que cuando un empleado se jubila reciba un regalo de sus compañeros, como por ejemplo una pluma, un reloj o una placa. Algunas veces también se organizan fiestas o cenas para festejar este acontecimiento.

Otras celebraciones

Además de las celebraciones anteriores, muchos españoles a lo largo de su vida celebran cualquier acontecimiento que a ellos les parezca importante y así comparten la felicidad o el éxito con otras personas. Ejemplos de esos acontecimientos pueden ser el nacimiento de un hijo o la inauguración de una tienda.

Cuando alguien compra una vivienda es normal que haga una fiesta de inauguración, en la que, además de invitar a los amigos y / o a los familiares a comer o a tomar algo, se aprovecha la ocasión para mostrar la vivienda a los invitados.

2. La boda

La boda puede ser una ceremonia civil o religiosa. Si es una boda civil, se puede celebrar en el juzgado o en el ayuntamiento, donde un juez o el alcalde casa a los novios. Si la boda es religiosa, se celebra en la iglesia con un sacer-

dote. En cualquier caso, hay que realizar una serie de trámites administrativos sencillos. Además de la novia y del novio, para poder casarse hacen falta dos testigos mayores de edad, quienes tienen que firmar en el registro y mostrar su Documento Nacional de Identidad.

Las bodas religiosas están sujetas, por lo general, a un ritual más estricto y reglado. Antes de llegar al día de la boda, tradicionalmente era necesario cumplir con una serie de requisitos religiosos como los cursos prematrimoniales.

La petición de mano

Cuando un chico y una chica deseaban mantener una relación estable, es decir, cuando querían ser novios formales, lo propio era que el chico fuera a pedir la mano de la chica. Con el propósito de oficializar esa relación, se celebraba un almuerzo o una cena en casa de la novia sólo para los familiares más íntimos de la novia, el novio y algún familiar que lo acompañara, generalmente, sus padres. En algún momento de

la comida, el novio transmitía a los padres su deseo de formalizar relaciones con su hija, para lo cual les pedía su aprobación. Cuando los padres aceptaban, es decir, cuando le concedían la mano de su hija, se decía que ya estaban prometidos. En ese momento, ella se ponía una alianza que le regalaba su prometido, y él se ponía la que le regalaba su prometida.

Todavía hay novios que van a pedir la mano de su novia, aunque en general la ceremonia está cayendo en desuso, sobre todo en las grandes ciudades. En la actualidad, la mayoría de los jóvenes van a casa de su pareja, no para pedir el consentimiento de los padres sino para conocer a su familia.

Los preparativos de la boda

El medio habitual de invitar a una boda sigue siendo las tradicionales tarjetas de invitación, aun cuando después se llame por teléfono a algunos de los invitados para charlar con ellos y confirmar su asistencia. En los sobres de las tarjetas se suele incluir, además, la llamada lista de bodas o selección de regalos confeccionada por los novios en una tienda de su elección. Otra posibilidad cada vez más extendida, en lugar de la lista de bodas, es abrir una cuenta en un banco para que quien lo desee pueda hacer un ingreso. Algunos invitados optan por regalar a los novios un sobre con dinero, otros prefieren regalarles algún objeto de uso personal o para el hogar que hayan pensado ellos mismos.

La elección del traje de novia es una de las decisiones previas a la ceremonia más complicadas. Se trata de un vestido blanco o marfil que suele centrar la atención de los asistentes por su espectacularidad y elegancia. Sólo algunas novias llevan como complementos un velo en la cabeza y unos guantes, pero ninguna se olvida del tradicional ramo de flores. El traje del novio puede ser claro en época de calor u oscuro en época de frío.

La ceremonia de la boda

Cuando la ceremonia se celebra en la iglesia, el novio entra del brazo de su madre; un poco después entra la novia del brazo de su padre. Al entrar la novia, se oye la marcha nupcial u otro tipo de música seleccionada por los novios. A continuación entran los invitados. Los familiares más cercanos del novio se colocan en los primeros bancos de la derecha y los de la novia en los de la izquierda. Si la ceremonia es civil, a esos detalles se les suele prestar menos atención: los novios y los asistentes entran a la vez en una sala del juzgado o del ayuntamiento y esperan a que llegue el juez o el alcalde.

Como símbolo de la unión, la novia le coloca un anillo de oro al novio y viceversa; estos anillos se llaman alianzas. Al salir del juzgado o de la iglesia, es tradicional arrojarles un puñado de arroz a los novios y luego decirles: "¡Enhorabuena!" o "¡Felicidades!".

El banquete de bodas

Después de la ceremonia, lo típico es celebrar un banquete de bodas en algún restaurante. Dentro de las posibilidades económicas de los novios y de sus padres, el menú se caracteriza tanto por la calidad como por la cantidad. Un menú típico empieza con un aperitivo o bien con un entrante o con unos entremeses. Los platos fuertes del menú son carnes y pescados con sus respectivas guarniciones y van acompañados de vino, agua y refrescos. Al final del banquete se toma un trozo de tarta nupcial y cava para brindar. En verano también es normal tomar helado después del pastel. Como en cualquier banquete, después del postre todavía queda lo que comúnmente se llama "café, copa y puro": a los invitados se les sirve café, quienes lo desean toman alguna copa de licor y los novios también ofrecen puros y cigarrillos.

En el banquete es frecuente que algunos invitados griten de vez en cuando: "Viva los novios" o "Viva los padres de la novia" o "Viva los hermanos del novio", etc. También es costumbre que griten insistentemente "Que se besen, que se besen..." hasta que consiguen que los novios se besen.

En determinados ambientes, al final del banquete es costumbre quitarle la corbata al novio y la liga a la novia, cortarlas en trozos con unas tijeras y después ir pasándolos por las mesas: los invitados cogen un trozo y dejan una cantidad de dinero.

Tradicionalmente, la familia de la novia corría con los gastos de sus propios invitados, y la familia del novio, con los gastos de los suyos. Sin embargo, cada vez es más habitual que los propios novios asuman la mayor parte de los gastos.

Después de la boda, lo típico es hacer algún viaje de luna de miel. Si los novios trabajan, tienen derecho a dos semanas de vacaciones.

Los aniversarios de la pareja

Habitualmente, las parejas celebran el aniversario del día en que se conocieron o del día en que se casaron o se fueron a vivir juntos. Una celebración típica en estas ocasiones consiste en una cena íntima en casa o en un restaurante. Ese día suelen intercambiar algún regalo.

Al cumplir 25 años de casados se celebran las bodas de plata, a los 50, las bodas de oro y a los 60, las bodas de diamante. En estas ocasiones, se suele hacer una comida en familia y a la pareja se le hace un regalo especial o conmemorativo de esa fecha. No es raro que el matrimonio aproveche para irse unos días de vacaciones a celebrar una nueva luna de miel.

3. Ceremonias religiosas

En la actualidad, sólo una parte de los españoles practican con regularidad la religión católica. No obstante, el catolicismo está arraigado en la tradición española. Es por ello que muchos padres, aunque no son practicantes, bautizan a sus hijos y los llevan a hacer la primera comunión.

El bautizo

El bautizo es una celebración religiosa en la que una persona se convierte al cristianismo, a la vez que recibe un nombre cristiano.

Cuando un bebé tiene dos o tres meses, normalmente se le bautiza en una iglesia cerca de su casa. Los padres o los abuelos se encargan de invitar al bautizo a los demás familiares y a algunos amigos, en especial al padrino y a la madrina, dos invitados de honor. En la ceremonia del bautizo, la madre sostiene al bebé en brazos mientras el sacerdote le echa agua en la cabeza, lo que simboliza su incorporación a la Iglesia Católica. Después del bautizo, es habitual invitar a los asistentes a almorzar o a merendar en casa o en algún restaurante. Es usual que los invitados le lleven algún regalo al bebé, por ejemplo, una medalla o una pulsera.

La primera comunión

La primera comunión es otra celebración religiosa en la que una persona con uso de razón recibe por primera vez a Cristo (comulga), a través de las palabras del sacerdote y de una hostia o especie de galleta que simboliza el cuerpo de Cristo.

Alrededor de los 7 años de edad, muchos niños asisten a catequesis, un cursillo en el que se preparan para hacer la comunión, que tradicionalmente suele celebrarse en el mes de mayo. Lo normal es que un grupo de niñas y niños reciban la primera comunión en una única ceremonia.

Cuando llega el día, los niños se visten para la ocasión y acuden a la iglesia con sus familiares y amigos. Antes era típico que todas las niñas fueran con

un vestido blanco, a imitación de los que llevan las novias. Los niños también solían ponerse o bien un traje blanco especial o bien un traje de marinero. En la actualidad, no es siempre así.

Tras la ceremonia, que suele ser por la mañana, la costumbre es que los padres inviten a sus familiares y amigos a comer. Éstos hacen regalos al niño que ha recibido la primera comunión.

Como recuerdo de la celebración, a los invitados se les reparten unos recordatorios, que son unas tarjetas en las que aparece alguna imagen religiosa, el nombre del niño, la fecha y el lugar de la celebración.

El día del santo

Para la Iglesia Católica, un santo o una santa son personas que llevaron una vida moralmente ejemplar. Se les dedica un día del calendario, por ejemplo, San Juan es el 24 de junio, Santa Catalina, el 24 de noviembre, etc.

Así, siguiendo con esos mismos ejemplos, los españoles que se llaman Juan pueden celebrar el día de su santo el 24 de junio, las que se llaman Catalina, el 24 de noviembre, etc. En general, al santo se le presta menos atención que al cumpleaños: de hecho, muchos no lo celebran.

El funeral

Cuando fallece una persona, los familiares más allegados se encargan de avisar a los demás familiares y a los amigos.

Según la tradición, los familiares más próximos deben vestirse de luto, es decir, deben ponerse ropa negra o, al menos, muy oscura. Hace unos cuantos años, en esas ocasiones tampoco se podía poner la radio ni la tele ni se podía cantar en las casas hasta que no pasaran unos meses. Esas costumbres se siguen manteniendo, en cierta medida, en los pueblos, pero en la ciudad la gente tiende a continuar con su vida normal, como la que llevaba antes del fallecimiento de su ser querido, es decir, no se visten de luto y siguen con su trabajo, sus estudios, sus actividades sociales, etc.

Desde que fallece una persona hasta que la entierran pasan entre 24 y 48 horas. Durante ese tiempo, la familia acompaña al difunto ya sea en su propia casa o en un tanatorio: ese acto es lo que se llama el "velatorio".

En algunas zonas de España, por ejemplo en Cataluña, suele celebrarse una misa de cuerpo presente antes de llevar el féretro al cementerio. En cambio, en otros lugares, por ejemplo en Andalucía, se celebra la misa al cabo de unos días, después de que el difunto ya ha sido enterrado o incinerado. Tras un año del fallecimiento suele celebrarse una misa de aniversario.

Cuando uno asiste a un funeral, lo propio es acercarse a los familiares más próximos del difunto para darles el pésame: darles la mano uno por uno y decirles: "Lo / La / Te acompaño en el sentimiento" o "Lo siento".

El 2 de noviembre es el Día de los Difuntos. Siguiendo la tradición, ese día muchos españoles suelen ir al cementerio a visitar la tumba de sus seres queridos. Es habitual que ese mismo día o unos días antes limpien la tumba y la decoren con flores.

Es probable que la paella sea el plato español más famoso en el mundo, hasta tal punto que ha acabado por ocultar la extraordinaria variedad de la cocina española en el extranjero. En la gastronomía española pueden distinguirse diferentes zonas, cada una de ellas caracterizada por un tipo de cocina, unos platos y unos productos autóctonos.

5

Cocina típica

El norte
y sus salsas

El Pirineo
y el Valle del Ebro
y sus chilindrones

Castilla, León
y La Rioja
y sus asados

Cataluña
y sus cazuelas

Levante y el sudeste
y sus arroces

Andalucía
y sus fritos

El clima, la geografía y sobre todo los productos propios en cada época del año provenientes de la agricultura, de la pesca y de la caza, condicionan la tradición culinaria de las diferentes comunidades autónomas. Por poner sólo unos ejemplos, se puede pensar en los asados de carne en la zona de la meseta, en los arroces criados y cocinados en la Comunidad Valenciana o en los fritos con aceite de oliva de Andalucía.

Ahora bien, aun manteniendo la tradición, lo cierto es que los diferentes medios de transporte permiten llevar en pocas horas productos frescos de cualquier lugar de producción a los mercados de cualquier otro lugar del territorio nacional. Es por ello que en la mayoría de los hogares españoles, además de los platos típicos de la zona, se preparan diferentes platos originarios de otras zonas del país.

☐ *La cocina gallega goza de una sabia sencillez; procede de dos realidades distintas: la Galicia marinera y la campesina. Asturias tiene una cocina simple y elegante. La cocina vasca, por su parte, se caracteriza por la exaltación del pescado y suculencia y arte ligero en su preparación. Tanto la cocina de Navarra como la de Aragón se distinguen por sus platos fuertes. La catalana y la balear son especialmente variadas, emplean productos del campo y del mar. En la valenciana el protagonista es el arroz, combinado en sus múltiples variantes con verdura, carne y mariscos. La cocina murciana toma como base los productos de su rica huerta. La cocina andaluza es amplia, variada y opulenta; uno de sus protagonistas es el aceite de oliva. La extremeña está íntimamente relacionada con el pastoreo. La cocina de la Mancha, de Castilla y de León es recia y venerable, en ellas reinan las carnes. Madrid, por último, es una de las ciudades de Europa donde mejor se come.* ∎

(Adaptado de LUJÁN, N. & PERUCHO, J. 2003. *El libro de la cocina española: gastronomía e historia*. Barcelona. Tusquets)

1. El cocido

El cocido es el único plato propio de toda la Península. Tiene un gran número de variantes según la zona del país donde se cocine: cocido andaluz, cocido canario, cocido extremeño, cocido vasco, cocido maragato (en León), *escudella i carn d'olla* (Cataluña), pote asturiano, pote gallego, puchero aragonés, puchero castellano, cocido madrileño, puchero de las tres abocás (Comunidad Valenciana) y *sopa i bullit* mallorquín (Islas Baleares). Independientemente de la región, el "cocido", como su nombre indica, parte

de la idea de cocer juntas carnes, verduras y legumbres obteniendo un plato de sopa, otro de vegetales y otro de carne.

☐ *En realidad, no existe una cocina "española", sino un conjunto de cocinas regionales, diversas e independientes, que se practican en el país. Estas cocinas son el reflejo de la historia y de la cultura de los pueblos que forman España. La nuestra es una cocina variada con algunos puntos en común; por ejemplo, el uso mayoritario del aceite de oliva y la manteca de cerdo. Sólo podemos hablar, con propiedad, de un plato "español": el cocido, un plato tradicional en toda España.*∎

(Adaptado de BETTONICA, L. 1981. *Cocina regional española.* Barcelona. Hymsa)

2. La repostería

Una de las vertientes más ricas y atractivas de la cocina española es, sin lugar a dudas, la que tiene relación con los postres y dulces, es decir, con la repostería. Cada región de España tiene su propia especialidad. Estas son algunas de las más destacadas:

Andalucía: brazo de gitano, mantecados, pestiños, polvorones... **Aragón:** frutas de Aragón. **Asturias:** fiyuelas, queso de Cabrales... **Baleares:** ensai-

mada, queso de Mahón, sobrasada... **Canarias:** perrenillos. **Cantabria:** arroz con leche, natillas, sobaos... **Castilla-La Mancha:** bizcochos borrachos, leche frita, mazapanes, queso manchego, torrijas... **Castilla y León:** suspiros de monja, rosquillas de San José... **Cataluña:** crema catalana, miel y requesón, músico, *panellets*... **Comunidad Valenciana:** turrones de Alicante y Jijona. **Extremadura:** embutidos, jamones... **Galicia:** quesos de San Simón Cabreiro y Guimarey, tarta de Santiago... **La Rioja:** mazapanes, caramelos de café con leche... **Madrid:** almendras garrapiñadas, churros (con chocolate), rosquillas... **Murcia:** tortas de Cartagena, yemas de Caravaca... **Navarra:** cuajada, leche frita, requesón... **País Vasco:** trufas.

3. La dieta mediterránea

Como vínculo de unión no sólo entre las distintas comunidades autónomas de España, sino incluso con

otros países vecinos, debemos mencionar un tipo de alimentación cada vez más valorada internacionalmente, nos referimos a la dieta mediterránea. Esta dieta se caracteriza por el consumo en abundancia de cereales, legumbres, frutas, frutos secos, verduras y hortalizas, menores cantidades de pescado, aves, huevos y derivados lácteos y moderación en el consumo de carnes. Estos alimentos se condimentan habitualmente con aceite de oliva y se acompañan con un poco de vino. Además de la alimentación variada y equilibrada, se tienen en cuenta otros factores, tales como comer con moderación y realizar actividad física de modo habitual.

Con el propósito de investigar y dar a conocer la bondad de este estilo de vida, se constituyó la Fundación para el Desarrollo de la Dieta Mediterránea (FDDM), en la que participan científicos de reconocido prestigio, no sólo españoles, sino también de otros países: Francia, Italia, Grecia, Holanda, Estados Unidos, etc.

☐ *La Dieta Mediterránea es una filosofía de vida basada en:*
- *Una forma de alimentación compuesta de una combinación de ingredientes tradicionales o actualizados mediante las modernas tecnologías.*
- *Recetas y modos de cocinar de la zona.*
- *Cultura y estilos de vida típicos del Mediterráneo.*

La combinación de sus elementos da una saludable dieta.∎

(Extraído de www.dietamediterranea.com)

4. Platos típicos

Caldereta, callos a la asturiana, entrecot al cabrales, fabada, *fabes* con almejas, lubina a la asturiana, merluza a la sidra, venado astur...

Asturias

Cantabria

Caldo gallego, empanadas, lacón con grelos, lenguado al albariño, merluza en caldeirada, pulpo *a feira*, vieiras al albariño...

Galicia

Castilla y León

Cachelada a la leonesa, caldereta de cordero, chanfaina, cochinillo asado, pavo en adobo, salmorejo de chochas...

Callos, chuletas de cerdo a la madrileña, judías a la madrileña, potaje de Cuaresma...

Madrid

Caldereta extremeña, cochifrito, menestra de acelgas a la extremeña, migas con torreznos, pierna de cabrito al estilo de Badajoz...

Extremadura

Castilla-La Manch

Chuletas de ternera a la castellana, codornices y conejo al ajillo, cordero asado, gachamigas, lechón asado, migas, sopa de ajo...

Andalucía

Ajo blanco, gachas, gazpacho, migas, pescado frito, riñones a la jerezana...

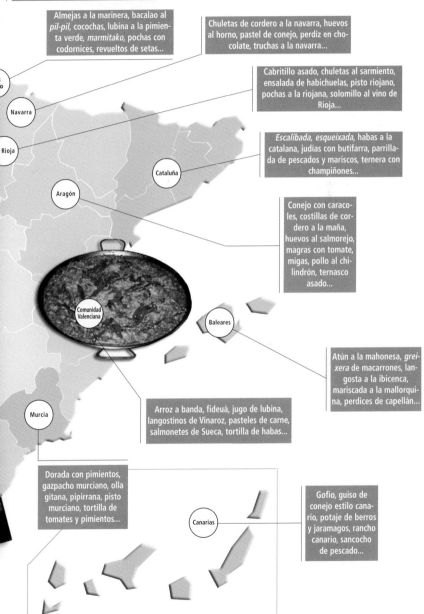

Caracoles a la Santoña, menestra de verduras a la santanderina, pastel de bonito a la santanderina, sopa montañesa, tortilla a la montañesa...

Almejas a la marinera, bacalao al *pil-pil*, cocochas, lubina a la pimienta verde, *marmitako,* pochas con codornices, revueltos de setas...

Chuletas de cordero a la navarra, huevos al horno, pastel de conejo, perdiz en chocolate, truchas a la navarra...

Cabritillo asado, chuletas al sarmiento, ensalada de habichuelas, pisto riojano, pochas a la riojana, solomillo al vino de Rioja...

Escalibada, esqueixada, habas a la catalana, judías con butifarra, parrillada de pescados y mariscos, ternera con champiñones...

Conejo con caracoles, costillas de cordero a la maña, huevos al salmorejo, magras con tomate, migas, pollo al chilindrón, ternasco asado...

Atún a la mahonesa, *greixera* de macarrones, langosta a la ibicenca, mariscada a la mallorquina, perdices de capellán...

Arroz a banda, fideuà, jugo de lubina, langostinos de Vinaroz, pasteles de carne, salmonetes de Sueca, tortilla de habas...

Dorada con pimientos, gazpacho murciano, olla gitana, pipirrana, pisto murciano, tortilla de tomates y pimientos...

Gofio, guiso de conejo estilo canario, potaje de berros y jaramagos, rancho canario, sancocho de pescado...

Navarra

Rioja

Cataluña

Aragón

Comunidad Valenciana

Baleares

Murcia

Canarias

En los últimos años se le está dando cada vez más importancia a la apariencia física y a la preocupación por el cuerpo. Ante esta situación, la práctica del deporte se presenta como una vía sana para dar forma al propio cuerpo y compensar los perjuicios de una vida laboral excesivamente sedentaria.

El deporte más popular en España ha sido en las últimas décadas y sigue siendo hoy en día el fútbol. Además de ser el más practicado, el fútbol como espectáculo es el deporte que más interés despierta. En respuesta a ese interés creciente de la sociedad española por el fútbol, en particular, y por los grandes acontecimientos deportivos, en general, los medios de comunicación españoles dedican una atención especial y un espacio considerable a la información deportiva.

1) Quién practica deporte y cuáles son los más practicados

2) El fenómeno del fútbol y los deportes de masa

3) Deportes tradicionales

Deporte

1. Quién practica deporte y cuáles son los más practicados

El interés por el deporte ha ido aumentando. En líneas generales, los hombres son más aficionados que las mujeres a hacer deporte, los jóvenes más que los mayores y los que tienen muchos estudios, más que los que tienen pocos. Al menos, eso es lo que reflejan las estadísticas.

En todo el país, y de modo especial en las grandes ciudades, los gimnasios están teniendo una extraordinaria acogida en los últimos años. Las causas de este creciente interés por las actividades relacionadas con el gimnasio son varias. Por un lado, la propia imagen y la forma física se valoran cada vez más: es lo que se denomina el "culto al cuerpo". Por otro, las ocupaciones sedentarias de buena parte de la población ciertamente no ayudan a mantenerse en forma, aunque los horarios de esas ocupaciones sí permiten gozar del tiempo libre suficiente para poder practicar actividades físicas con las que compensar la falta de ejercicio en la jornada laboral, académica, etc.

El interés por las artes marciales como el judo, el kárate, el taekwondo o el kendo, entre otros, se ha incrementado notablemente: en sólo 6 años se ha cuadruplicado el número de practicantes federados.

Por último, es importante mencionar algunas técnicas de relajación originarias de oriente, como son el yoga, ya practicado en España desde hace bastantes años, y el taichi, que últimamente también viene despertando un interés considerable.

SEGÚN LA EDAD

Hacen deporte
Ven deporte

16-24 años, 25-34 años, 35-44 años, 45-54 años, 55-65 años

SEGÚN EL SEXO

Varones — Mujeres

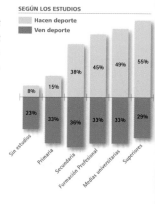

SEGÚN LOS ESTUDIOS

Hacen deporte
Ven deporte

Sin estudios, Primaria, Secundaria, Formación Profesional, Medias universitarias, Superiores

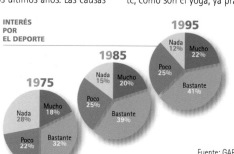

INTERÉS POR EL DEPORTE

1975 / 1985 / 1995

Fuente: GARCÍA FERRANDO, M. 1997. *Los españoles y el deporte, 1980-1995.* Madrid. Consejo Superior de Deportes

Los veinte deportes más practicados
en España

20	Vela
19	Bolos, petanca
18	Balonmano
17	Tenis de mesa
16	Artes marciales
15	Tiro y caza
14	Pesca
13	Balón volea
12	Esquí
11	Pelota (frontón)
10	Atletismo
9	Montañismo, senderismo
8	Aeróbic, gimnasia rítmica, danza
7	Tenis
6	Carrera a pie
5	Baloncesto
4	Gimnasia de mantenimiento
3	Ciclismo
2	Natación
1	Fútbol

Fuente: www.csd.mec.es.

2. El fenómeno del fútbol y los deportes de masa

El fútbol es el deporte que más se practica en España. Además, es el deporte que más interés suscita como espectáculo: son millones de españoles los que siguen semana tras semana todos los campeonatos nacionales de fútbol (la Liga, la Copa, la Recopa, etc.). Por todo ello, se le llama el "deporte rey".

La actividad futbolística como espectáculo se concentra en el fin de semana, que es cuando los espectadores tienen más tiempo libre, ya sea para ver el partido por televisión, para escucharlo por la radio o para ir al estadio de fútbol con familiares o amigos y ver uno en vivo. Cuando hay partidos de especial importancia como la final de la Liga o de la Copa, otros espectáculos se ven afectados: se produce un descenso en la venta de entradas en cines, teatros, conciertos, etc. En los campeonatos internacionales, por ejemplo en los Mundiales de Fútbol, se acepta como un hecho normal que la actividad laboral y académica disminuya o incluso se paralice mientras se está retransmitiendo en directo por televisión algún partido de especial importancia para los españoles aficionados.

En torno al fútbol gira una actividad económica de millones de euros, tanto en la vertiente profesional -los contratos y primas de los jugadores- como en la del espectáculo -quinielas, diarios deportivos, etc.-. Incluso, existen tiendas especializadas en productos de un equipo concreto donde se pueden adquirir prendas deportivas, bufandas, llaveros y una larga lista de objetos con los colores y con el escudo del equipo en cuestión.

A pesar del interés que suscita este deporte, es preciso reconocer que a muchos españoles no les gusta el fútbol.

3. Deportes tradicionales

La mayoría de los deportes mencionados hasta ahora pueden considerarse internacionales, dado que se practican en los cinco continentes. Al mismo tiempo, en España se practican otros deportes y juegos que forman parte de una tradición propia, vinculada en muchos casos a las diversas comunidades autónomas. Muchas de estas actividades deportivas y lúdicas no se practican de forma habitual, sino con motivo de algunas fiestas populares.

Salto pasiego con bastón

Consiste en un salto de longitud que se ejecuta apoyándose en un palo de unos dos metros de largo y seis centímetros de diámetro.

Pelota vasca

Se emplea una pelota parecida a las de tenis, pero maciza, que varía según las distintas modalidades. También varían el número de jugadores y el tipo de pista de una modalidad a otra. El juego consiste en pegarle a la bola y lanzarla directamente contra otro jugador o contra una pared.

Cantabria

Galicia

Levantamiento de sacos

El juego consiste en lanzar un saco de cereales, que normalmente pesa unos 100 Kg. En otras zonas del país, en lugar de sacos, se levantan objetos como cántaros o yunques.

Castilla y León

Madrid

Extremadura

Lanzamiento de piedra

El juego consiste en lanzar una piedra de 10-25 Kg lo más lejos posible.

Soga-tira

Dos equipos, situados cada uno al extremo de una cuerda, tiran de ésta hacia atrás, cada uno intentando arrastrar hacia sí al equipo contrario, hasta rebasar la línea que divide en dos el terreno de juego.

Carreras y marchas de *korricolaris*

Korricolaris es una palabra vasca que significa "corredores". Se trata de una carrera de fondo donde dos participantes corren 10-20 Km en el campo o en una plaza de toros.

Transporte de chingas o pesas

El juego consiste en que cada concursante coge una pesa de 50 Kg en cada mano y las lleva lo más lejos posible.

Carreras con zancos

Los zancos son unos palos altos de madera sobre los que se suben los concursantes. Las competiciones suelen ser de velocidad, de distancia o relevos.

Castillos humanos

Pueden ser de un hombre en cada piso o de dos o propiamente un castillo de hasta nueve pisos, con muchas personas en la base y con cada vez menos a medida que nos acercamos a los pisos de arriba; el último se reserva para un niño de corta edad.

Tiro con honda

La modalidad más difundida de este juego consiste en dar a una diana situada a 30, 60 ó 90 pasos de distancia con una honda, instrumento antiguo hecho con una tira de cuero que sirve para tirar piedras. Hay otras modalidades, como la de lanzar una piedra lo más lejos posible.

Navarra

Rioja

Cataluña

Aragón

Castilla-Mancha

Comunidad Valenciana

Baleares

Murcia

Castillos humanos

Cucañas

Hay diferentes tipos de cucañas. Las cucañas verticales consisten en conseguir los premios que están colgados de un tronco vertical: botellas de licor, jamones, etc. La dificultad radica en que el tronco está cubierto de jabón o de grasa y resbala mucho. En las cucañas horizontales, otra modalidad, los participantes intentan pasar de una punta a otra del tronco para poder coger los premios que se han colocado allí. Si se resbalan, se caen al agua, lo que forma parte de la diversión del público.

Por último está la cuestión del paseo, una de las costumbres más populares, hasta el punto de ser la actividad física más practicada por los españoles, sobre todo por los que viven en las ciudades. De cada 10 españoles, 6 ó 7 confiesan pasear a diario, 1 ó 2 lo hacen dos o tres veces por semana, 1 sólo los fines de semana y 1 sólo de vez en cuando. Los mayores pasean más que los jóvenes y las mujeres, más que los hombres.

La conciencia ecológica de los españoles va creciendo cualitativa y cuantitativamente. Tanto las autoridades estatales, autonómicas y municipales, como las diferentes organizaciones de carácter ecologista fomentan entre la población la responsabilidad colectiva de velar por la calidad de la atmósfera, de la tierra y de los mares, lagos y ríos, así como por la protección de las especies animales y vegetales del país.

7

Ecología

7

1. Principales problemas medioambientales

Los problemas medioambientales tienen dos causas principales. Por un lado, las duras condiciones climatológicas de algunas zonas del país y, por otro, la explotación inadecuada de los recursos naturales.

PRINCIPALES PROBLEMAS MEDIOAMBIENTALES

En amplias zonas del territorio español la lluvia es insuficiente. Además de que la escasez de agua plantea problemas a la población y a la agricultura, ésta es la causa de la erosión del terreno y de la desertificación. La situación se ve agravada por los incendios, que cada año queman miles de hectáreas de bosques.

Otro grave problema es la contaminación del agua del subsuelo, que resulta de los vertidos industriales y agrícolas.

No menos preocupante es la erosión, degradación y contaminación de las costas, su hábitat y sus especies, en parte como consecuencia de la especulación inmobiliaria que ha sacrificado en muchas ocasiones la calidad del agua y las playas para construir edificios, en particular en todo el Levante español.

Los mares españoles sufren una sobreexplotación: se pescan alrededor de 1.300.000 toneladas al año. A esto hay que añadir la contaminación provocada por los vertidos costeros, los barcos y las explotaciones petrolíferas, entre otros.

2. Principales medidas medioambientales

Desde hace años, distintos gobiernos elaboran proyectos encaminadados a la protección y renovación de los recursos naturales del país. El objetivo que se persigue es aportar soluciones viables para paliar los problemas planteados.

• Plan Hidrológico Nacional: garantizar la calidad y la cantidad en el suministro de agua, sin deteriorar el medio ambiente.

• Plan de Gestión de Residuos Industriales: reducir los peligros de estos residuos; reciclarlos o aprovecharlos como fuente de energía.

• Plan de Depuración de Aguas Residuales: antes del año 2005, todos los municipios de más de 2.000 habitantes deberán disponer de depuradoras.

• Plan de Costas: regenerar y proteger los 7.880 Km de costas españolas, 2.200 de los cuales corresponden a unas 3.000 playas.

• Plan de Reforestación: repoblar los bosques, dando prioridad a especies autóctonas como la encina, el haya o el roble y no a las comerciales como el eucalipto, el chopo o el pino.

• Plan Energético Nacional: ahorrar energía y potenciar la producción de energías renovables como la minihidráulica, la eólica, la solar, etc.

"¡La ciudad, Sin mi coche!"

Además de estos planes, periódicamente se organizan campañas municipales, autonómicas y estatales, encaminadas a fomentar el reciclaje, el ahorro de energía, etc.

3. La Red de Parques Nacionales

El artículo 45 de la Constitución Española menciona el derecho de todos los españoles a "disfrutar de un medio ambiente adecuado". Desde el 13 de julio de 1993, fecha en que se crea el Ministerio de Obras Públicas, Transportes y Medio Ambiente, los temas medioambientales reciben una atención más direc-

ta por parte del Gobierno. Poco después, el 5 de mayo de 1996, se crea, por primera vez en España, el Ministerio de Medio Ambiente.

Cabo de Gata

]• No tirar a la basura todo lo que no sirve; echar a los contenedores de reciclaje: vidrio, latas, plásticos, papel y cartón, pilas y baterías, aceites usados, etc.

• En invierno evitar que el calor de la calefacción se escape por las puertas y las ventanas. Levantar las persianas para que entre el sol por los cristales y la casa se caliente gratis.

• En verano mantener las persianas bajadas cuando da el sol. Abrir ventanas y puertas en fachadas opuestas, para establecer corrientes de aire.

• No abusar ni de la calefacción ni del aire acondicionado.

• Reparar los grifos que gotean (uno solo puede llegar a perder 150 l./día).

• No encender la lavadora ni el lavavajillas, si no están llenos.

• Aprovechar la luz solar: es mejor para la vista y para el bolsillo.

• Escoger electrodomésticos (frigorífico, lavadora, lavavajillas, etc.) de bajo consumo de electricidad y de agua.

• Utilizar los medios de transporte público o compartir el coche.

• Si se conduce un coche, asegurarse de que el motor está a punto y la presión de las ruedas es la correcta; evitar las altas velocidades, los acelerones y los frenazos; procurar mantener las ventanillas cerradas.■

Fuente: Consejería de Medio Ambiente

Islas Cíes

4. Especies amenazadas

En España hay unas 80.000 especies diferentes de fauna y flora, lo que representa una gran riqueza natural. Sin embargo, muchas de estas especies están amenazadas. Según el *Catálogo Nacional de Especies Amenazadas* publicado por el Ministerio de Medio Ambiente en abril de 2000:

• Existen 381 especies de interés especial, es decir, con un valor científico, cultural o ecológico especial.

• Hay 35 especies vulnerables, es decir, están en camino de pasar a las categorías posteriores.

• Existen 18 especies sensibles a la alteración de su hábitat, en otras palabras, su hábitat característico está en peligro.

• Hay 161 especies en peligro de extinción, es decir, es poco probable que sobrevivan.

☐ *España es uno de los primeros países de Europa en iniciar la política de protección del patrimonio natural español. La Red de Parques Nacionales españoles (RPN) nace el 22 de julio de 1918, cuando se declara el Parque Nacional de la Montaña de Covadonga, ampliado y renombrado como Picos de Europa en 1995.*

En la actualidad, la Red de Parques Nacionales está integrada por doce parques que ocupan el 0,6% del territorio nacional (aproximadamente 312.400 hectáreas): Teide (1954), Caldera de Taburiente (1954), Aigüestortes i Estany de Sant Maurici (1955), Doñana (1968), Tablas de Daimiel (1973), Timanfaya (1974), Garajonay (1975), Ordesa y Monte Perdido (1982), Archipiélago de Cabrera (1991), Picos de Europa (1995) y Sierra Nevada (1999).

La finalidad de la RPN es asegurar la conservación de los Parques Nacionales y la mejora del conocimiento científico de sus valores naturales y culturales, así como fomentar una conciencia social ecologista.■

(Adaptado de www.mma.es/parques/lared/index.htm)

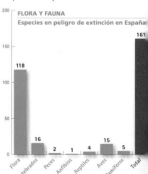

FLORA Y FAUNA
Especies en peligro de extinción en España

Fuente: Ministerio de Medio Ambiente

Actualmente, entre las especies en peligro de extinción se encuentran animales como el lince ibérico -el felino más amenazado del planeta-, el lagarto gigante del hierro, la cigüeña negra, el quebrantahuesos, el águila imperial ibérica, la foca monje y el oso pardo.

5. El reciclaje

En las vías públicas de cualquier ciudad y cualquier pueblo de España hay cada vez más contenedores para el reciclaje de papel y cartón, vidrio, pilas, envases de metal y plástico, etc. Asimismo, los municipios con instalaciones de reciclaje van en aumento. Algunas gasoline-

ras también ponen a disposición del público unos recipientes para verter aceite usado de motor, reutilizable como fuente de energía. En definitiva, reciclar resulta cada vez más cómodo y cada año se reciclan más toneladas de material. Baste con un ejemplo: de cada dos botellas de vidrio que se compran en España, una se recicla.

6. La energía nuclear

Uno de los temas más polémicos en materia de ecología es el de la energía nuclear. En España hay centrales nucleares de primera generación -construidas en los años 60-, de segunda generación -construidas en los años 70- y de tercera generación -construidas en los años 80-.

Frente a la energía nuclear se exploran otras fuentes de energía más respetuosas con el medio ambiente. La energía solar, la energía eólica, la ener-

gía hidráulica, la energía geotérmica, etc. son alternativas a la energía nuclear, a la obtenida del petróleo y a los demás tipos tradicionales de energía. España es el tercer lugar del mundo y el segundo de Europa en la explotación de energía eólica.

ENERGÍA EÓLICA EN ESPAÑA
Megavatios instalados

Fuente: MADE, 2000

| Vidrio | Papel y cartón | Envases | Basura orgánica |

Familia

A lo largo de las últimas décadas se han producido en España cambios importantes en el concepto de familia, así como en los hábitos y en las relaciones entre sus componentes. Por regla general, las familias que se crean ahora son bastante diferentes de las que se fundaron en generaciones pasadas, aunque pervivan todavía en algunas de ellas ciertos valores tradicionales. Algunos de los cambios vienen motivados directamente por las oscilaciones de la economía, otros tienen más que ver con la evolución general de la sociedad europea o con las nuevas aspiraciones de sus miembros más jóvenes.

8

1) Familia tradicional y nuevos tipos de familia

2) Evolución de la tasa de natalidad en España

3) Libro de Familia

4) Distribución de papeles dentro de la unidad familiar

5) ¿Independizarse o vivir en familia?

Familia

65

1. Familia tradicional y nuevos tipos de familia

Frente a la familia tradicional, en la que el hombre es la fuente de ingresos y la mujer se dedica a las tareas domésticas, cada vez son más frecuentes las familias en las que ambos tienen empleo. También debemos mencionar aquí otros nuevos tipos de convivencia familiar. Uno de ellos son las familias monoparentales, es decir, hogares o bien sin padre, o bien sin madre. Otro, son las denominadas familias reconstituidas, formadas tras la ruptura de una o dos parejas anteriores, por lo que pueden incluir hijos procedentes de varias parejas.

A pesar de los cambios mencionados, el modelo familiar dominante en España sigue siendo el de pareja casada y con hijo(s), si bien es cierto que los demás tipos mencionados también se consideran perfectamente normales. Independientemente del tipo de convivencia familiar por el que se opte, el 97% de los españoles considera que la familia tiene un valor esencial, según el Eurobarómetro.

2. Evolución de la tasa de natalidad en España

Antes había muchas familias numerosas, mientras que ahora el número medio de hijos por mujer es 1,2, frente a 2,1 necesario para mantener la población constante. El gráfico muestra la evolución de la tasa de natalidad en España por cada 1.000 habitantes en el último cuarto de siglo. La tasa se reduce continuamente entre 1975 y 1996. Sin embargo, desde 1997 se viene produciendo una cierta recuperación, en buena medida debido a la contribución de las familias de inmigrantes.

□ Los expertos aseguran que los padres inician segundas uniones en mucha mayor medida que las madres. Éstas obtienen, casi siempre, la custodia de los niños; el 80% de los padres no la pide. De los 265.500 hogares con hijos encabezados por un solo adulto (monoparentales), casi nueve de cada diez están dirigidos por mujeres.■

(Adaptado de El País, 17 de junio de 2001)

NÚMERO MEDIO DE HIJOS POR MUJER / Total nacional

1975	1976	1977	1978	1979	1980	1981	1982
2,803	2,802	2,674	2,553	2,372	2,215	2,036	1,941
1983	1984	1985	1986	1987	1988	1989	1990
1,799	1,728	1,642	1,558	1,496	1,450	1,399	1,362
1991	1992	1993	1994	1995	1996	1997	1998
1,329	1,317	1,267	1,206	1,175	1,164	1,178	1,159
1999	2000	2001	2002*				
1,197	1,238	1,249	1,256				

* Cifras provisionales
El indicador coyuntural estimado se calcula con tasas de fecundidad por edad de la madre del último año definitivo disponible.

Fuente: INE, 2002

La encuesta de fecundidad realizada por el INE en 1999 indica que un 44,5% de las mujeres entre 15 y 49 años no están dispuestas a tener hijos. Según los expertos, entre las razones que explican la disminución de la natalidad, pueden citarse las siguientes:

• el considerado índice de paro femenino (16%);

• la precariedad de los empleos temporales;

• el aumento del nivel cultural de las mujeres.

Otra razón de peso es que las ayudas familiares que concede el Estado no son de gran aliciente, aunque desde el 2002 las familias con hijos menores de 3 años, en las que la mujer trabaja, reciben 100 euros mensuales.

3. Libro de Familia

El Libro de Familia es un documento que se hace cuando se casa una pareja y en el que posteriormente se van anotando los datos personales de cada hijo: nombre, apellidos, lugar y fecha de nacimiento. Es un documento importante, porque de él se extraerán en su momento los datos para expedir el Documento Nacional

de Identidad, el Pasaporte, etc. Así, cuando nace un hijo, éste debe ser inscrito en el Registro Civil del municipio que corresponda y en el Libro de Familia de los padres, o bien de uno de los dos, en el caso de familias monoparentales.

4. Distribución de papeles dentro de la unidad familiar

Tradicionalmente, era la madre la que se ocupaba de los hijos y de las personas mayores. A partir del momento en que las mujeres empiezan a trabajar fuera de casa surge la necesidad de buscar una alternativa. Para solucionar el problema de los niños la opción más corriente en la actualidad es llevarlos a una guardería. Para solucionar

el problema de los ancianos no autónomos se acude a personas que los cuiden, o se recurre a residencias. Actualmente, la demanda de centros especializados para ancianos está en aumento. La mayoría de estos centros son privados.

El papel desempeñado por el hombre ha ido evolucionando, ya que éste se va haciendo cada vez más responsable de las tareas domésticas. Poco a poco, dichas tareas van dejando de ser responsabilidad de la mujer para sentirse como responsabilidad de la pareja, en un principio, y también de los hijos, conforme éstos se van haciendo mayores y capaces de asumir parte de esa responsabilidad. No obstante, la adaptación al nuevo planteamiento requiere tiempo y la igualdad en el reparto de papeles todavía se encuentra lejos.

□ El PSOE propone una ley para crear un p miso de paternidad de 4 semanas.

Actualmente, la Ley de Conciliación de Vida Familiar y Laboral prevé que el padre pue da repartirse con la madre 10 de los 16 sema nas que le corresponden, siempre que ésta últ ma se las ceda.

El texto de la nueva proposición de ley prevé que en el caso de familias monoparentales la madre pueda disfrutar de un total de 20 semanas de permiso, al sumar las cuatro semanas que le corresponderían al padre. La iniciativa socialista también contempla que el permiso de paternidad pueda ser disfrutado por padres adoptantes. Igualmente, recoge que el padre pueda disfrutar como la madre de un periodo de excedencia de tres años para el cuidado de los hijos. Todas estas medidas se aplicarían tanto a las parejas casadas como a las parejas de hecho. ■

(Adaptado de El País, 17 de junio de 2001)

5. ¿Independizarse o vivir en familia?

La edad en que los hijos se independizan de los padres es otra cuestión que ha experimentado cambios importantes en las últimas décadas.

● Hace 40 ó 50 años lo convencional era que las parejas no se casaran hasta que el novio volviera del servicio militar y se situara económicamente, es decir, consiguiera un empleo con un sueldo suficiente para mantener a la futura familia. Previsiblemente, la mujer se quedaría en casa sin cobrar nada, aunque trabajando mucho, ya que en aquella época en un hogar típico español no había lo que hoy es tan normal: lavadora, lavavajillas, aspiradora, etc.

● Hace 20 ó 25 años las chicas y los chicos españoles empezaron a independizarse cada vez más jóvenes, tal como ya estaban haciendo los jóvenes de otros países europeos. Probablemente, la revolución sexual, cultural y social que estalló en Francia en mayo del 68 tuvo mucho que ver en este cambio. Independizarse era posible porque en aquella época era fácil encontrar trabajo y ganar dinero para mantenerse sin la ayuda económica de los padres, aunque a veces estos también contribuían.

● En la actualidad la situación laboral está marcada por la disminución de empleos estables frente al crecimiento de empleos temporales y el alto porcentaje de paro entre los jóvenes. En estas condiciones de inestabilidad laboral y, por consiguiente, de ingresos inciertos, muchos jóvenes no están en condiciones reales de independizarse. El resultado es que hoy en día más de la mitad de los jóvenes de entre 20 y 30 años siguen viviendo en casa de sus padres.

Fiestas populares

En España hay fiestas nacionales u oficiales, en las que se conmemora algún acontecimiento importante para la nación, la inmensa mayoría de la población suspende su actividad laboral o académica y están cerradas la mayor parte de oficinas y establecimientos públicos de todo el país. Además de las fiestas nacionales, cada comunidad autónoma tiene sus propias fiestas. Es más, cada pueblo y ciudad e incluso cada barrio celebra anualmente una fiesta mayor: la mayoría de ellas son en verano, principalmente en agosto y en septiembre.

9

Fiestas populares

1. Fiestas de ámbito nacional

18 ABRIL Viernes
Perfecto

Semana 16
Días 108-257

Viernes Santo. Fiesta en España, Alemania,
Dinamarca, Finlandia, Portugal, Reino Unido y Suecia.

23 abril
7 h 33 m
20 h 58 m

En primavera se celebra la SEMANA SANTA. Esta festividad es de origen religioso. Las manifestaciones más importantes son las procesiones. Entre las más famosas, se encuentran las de Málaga, Murcia, Sevilla, Valladolid y Zamora. Sin embargo, para no pocos españoles, se trata más bien de unas pequeñas vacaciones de 4 o 5 días, que aprovechan para descansar o viajar.

Pascua

1 MAYO
Florinda

Semana 18
Día 121-244

Fiesta del Trabajo. Fiesta en España, Alemania,
Austria, Bélgica, Finlandia, Francia, Grecia, Italia,
Luxemburgo, Portugal y Suecia

1 mayo
7 h 15 m
21 h 10 m

1 DE MAYO. Como en muchos otros países, en esta fecha se celebra el Día Internacional del Trabajador. Esta festividad es de carácter civil.

12 OCTUBRE
Nuestra Señora del Pilar

12 DE OCTUBRE. Esta festividad tiene doble vertiente: civil y religiosa. Por un lado, es el Día de la Hispanidad: tanto España como en Hispanoamérica ese día celebra el descubrimiento de América. Por otro, coincide con la festividad de la Virgen del Pilar.

15 AGOSTO
Asunción, Paloma

Semana 33
Días 227-138

Asunción de Nuestra Señora. Fiesta en España,
Austria, Bélgica, Francia, Grecia, Italia,
Luxemburgo y Portugal

20 agosto
7 h 26 m
21 h 13 m

15 DE AGOSTO. Esta festividad es de origen religioso. Se celebra el Día de la Asunción.

1 NOVIEMBRE
Todos los Santos. Fiesta en España, Austria, Bélgica,
Finlandia, Francia, Italia, Luxemburgo y Portugal

Penélope, Santos

1 DE NOVIEMBRE. Esta festividad es de origen religioso. Se celebra el Día de Todos los Santos. Se llevan flores al cementerio.

6 DICIEMBRE
Día de la Constitución Española.
Fiesta en España y Finlandia

6 DE DICIEMBRE. En este día se conmemora la aprobación en referéndum de la Constitución. Es, por tanto, una festividad de carácter civil.

8 DICIEMBRE
Inmaculada

Semana 50
Días 342-23

Inmaculada Concepción. Fiesta en España,
Austria, Italia y Portugal

8 diciembre
8 h 25 m
17 h 48 m

8 de diciembre. Esta festividad es de origen religioso. Es el Día de la Inmaculada Concepción.

2. Otras festividades

• **El Carnaval** se celebra a finales del invierno. La gente se disfraza, juega, baila, etc. Los carnavales más famosos son los de Cádiz y Tenerife.

• El 19 de marzo, San José, es el **Día del Padre**. Los hijos hacen regalos a los padres.

• El primer domingo de mayo se celebra el **Día de la Madre**. Los hijos hacen regalos a las madres.

• En junio, exactamente 60 días después del Domingo de Resurrección de la Semana Santa, se celebra el **Corpus Christi**. En Granada, Lugo y Málaga se festeja de modo especial. En ciudades como Sitges (Barcelona) o Puenteareas (Pontevedra) se adornan las calles con alfombras de flores.

• El 24 de junio es **San Juan**, se celebra la llegada del verano.

Por la noche son típicas las hogueras en la calle y las verbenas, fiestas populares en las que se baila. Esa noche es normal ir a la playa para ver la salida del sol. Las fiestas de San Juan son de especial interés en Alicante, Badajoz y Soria.

• El **Día de los Santos Inocentes** (28 de diciembre) es el día en el que se gastan bromas. La más típica es colgarle en la espalda un muñeco recortado en papel a alguien. En los telediarios, por poner otro ejemplo, dan alguna noticia asombrosa... y más tarde los locutores aclaran que era falsa, que sólo había sido una "inocentada".

3. Las fiestas de Navidad

En la última semana del año y en la primera semana del año nuevo se concentran varias fiestas. En todas ellas es costumbre que la familia se reúna y se prepare comida especial, se tomen licores y se coman productos navideños, como el turrón, el mazapán, los mantecados o los polvorones. También es típico que se canten villancicos -canciones típicas de Navidad- al ritmo de una pandereta y una zambomba. Una tradición que se está perdiendo es la del aguinaldo: los niños van por la calle cantando villancicos y la gente les da algo de dinero.

Estos son los días más señalados:

• El 24 de diciembre se celebra la **Nochebuena**.

• El 25 de diciembre se celebra la **Navidad**.

• La **Nochevieja** se celebra el 31 de diciembre. A las 12 de la noche, mientras suenan las doce campanadas, se toman 12 uvas para tener suerte los próximos 12 meses. Después, se brinda con cava, sidra o champán. La costumbre de ir tomando las 12 uvas conforme van dando las 12 campanadas de Fin de Año data de 1909, año en que hubo una cosecha de uva excepcional, y uno de los cosecheros propuso este curioso rito.

• El 1 de enero se celebra el **Año Nuevo**.

• Los **Reyes Magos** se celebran el 6 de enero. Es un día mágico para los niños, pues los tres Reyes Magos de Oriente -Melchor, Gaspar y Baltasar- les traen los juguetes que ellos les han pedido en una carta. El 5 de enero a partir de las 6 de la tarde se hacen cabalgatas en muchos lugares de España: los tres Reyes Magos y sus pajes se pasean por las calles a caballo, en camello... cargados de paquetes de juguetes y repartiendo caramelos entre la gente, que los espera por las calles para verlos pasar. Luego, de madrugada, cuando todos los niños ya están durmiendo, pasan casa por casa, repartiendo los juguetes y también otros regalos para los mayores. A los niños ya se les advierte que deben portarse bien, pues, de lo contrario, los Reyes les traerán carbón.

4. Las fiestas de las comunidades autónomas

Además de la festividad de cada comunidad autónoma -indicada en el recuadro verde-, a lo largo de la geografía española hay una gran variedad de fiestas.

ANDALUCÍA (28 DE FEBRERO)

ALMERÍA CELEBRA EN AGOSTO LA FIESTA DE SU PATRONA, LA VIRGEN DEL MAR. EN GRANADA SE CELEBRA EN ENERO LA RECONQUISTA DE LOS REYES CATÓLICOS. SEVILLA TIENE FAMA INTERNACIONAL POR SU FERIA DE ABRIL. NO MENOS FAMOSA ES LA ROMERÍA DEL ROCÍO, QUE EMPIEZA EN SEVILLA Y TERMINA EN ALMONTE (HUELVA).

ARAGÓN (23 DE ABRIL)

LA FIESTA MÁS FAMOSA ES LA FIESTA DEL PILAR, QUE SE CELEBRA EN ZARAGOZA EL 12 DE OCTUBRE. HUESCA TAMBIÉN ES FAMOSA POR LAS FIESTAS DE SAN LORENZO, Y EN TERUEL SE CELEBRAN LAS FIESTAS DEL ÁNGEL Y DEL JAMÓN.

ASTURIAS (8 DE SEPTIEMBRE)

EL MARTES DE RESURRECCIÓN, DESPUÉS DE SEMANA SANTA, SE CELEBRA EN POLA DE SIERO LA FIESTA DE LOS HUEVOS PINTOS. SON FAMOSAS LA ROMERÍA DE LOS VAQUEROS DE ALZADA Y LA ROMERÍA DE CERCA DEL CIELO.

BALEARES (1 DE MARZO)

ES CÉLEBRE LA ROMERÍA DE SAN MARCIAL, QUE SE CELEBRA EN MALLORCA. TAM-

BIÉN CABE MENCIONAR LAS FIESTAS DE CABALLEROS QUE SE CELEBRAN POR SAN JUAN EN CIUDADELA (ISLA DE MENORCA).

CANARIAS (30 DE MAYO)

PROBABLEMENTE LA FIESTA MÁS FAMOSA SEA EL CARNAVAL DE TENERIFE. EL CORPUS CHRISTI SE CELEBRA DE MODO ESPECIAL EN TACORONTE Y EN LA OROTAVA, DONDE SE HACEN ALFOMBRAS CON TIERRA DE VARIOS COLORES. TAMBIÉN CABE DESTACAR LA FIESTA DE LA CANDELARIA.

CANTABRIA (15 DE SEPTIEMBRE)

ES DE SUMA IMPORTANCIA EL FESTIVAL INTERNACIONAL DE MÚSICA, ASÍ COMO LA SEMANA GRANDE DE SANTANDER. DE ENTRE LAS CELEBRACIONES DEPORTIVAS, CABE RESALTAR LAS REGATAS DE TRAINERAS DE PEDREÑA.

CASTILLA-LA MANCHA (31 DE MAYO)

CABE MENCIONAR LAS FIESTAS DE LOS MAYOS EN VARIAS LOCALIDADES, ASÍ COMO LA CABALLADA DE ATIENZA Y EL FESTIVAL MEDIEVAL EN HITA.

CASTILLA Y LEÓN (23 DE ABRIL)

SON DIGNAS DE MENCIÓN LA ROMERÍA DE NUESTRA SEÑORA DE CHILLA EN CANDELEDA (ÁVILA), LA ROMERÍA DE SANTO TORIBIO AL CERRO DEL OTERO EN PALENCIA Y LA ROMERÍA AL CASTAÑAR EN BÉJAR (SALAMANCA). EN LEÓN DESTACAN LA FIESTA DE LAS CABEZAS Y LA FIESTA DE LAS CANTADERAS, EN LA QUE SE CONMEMORA UN TRIBUTO DE CIEN DONCELLAS QUE SE PAGABA A LOS MUSULMANES.

CATALUÑA (11 DE SEPTIEMBRE)

EN NAVIDAD SE INSTALAN BELENES VIVIENTES EN MUCHOS LUGARES. EN SEMANA SANTA SON FAMOSAS LAS REPRESENTACIONES DE LA PASIÓN DE JESUCRISTO EN CERVERA, OLESA DE MONTSERRAT, ETC. OTRA FIESTA INTERESANTE ES LA PATUM DE BERGA.

EXTREMADURA (8 DE SEPTIEMBRE)

PODEMOS MENCIONAR LA FIESTA DE MOROS Y CRISTIANOS EN CÁCERES, LA

CARANTAMAULA EN ACEHÚCHE, LOS EMPALADOS EN VALVERDE DE LA VERA, LA ENCAMISÁ EN TORREJONCILLO, EL PEROPALO EN VILLANUEVA DE LA VERA, LA ROMERÍA A LA ERMITA DE BÓTOA Y LA ROMERÍA A LA ERMITA DE SAN BLAS.

GALICIA (17 DE MAYO)

SON DIGNAS DE MENCIÓN LAS FIESTAS DE LA PEREGRINA, EN PONTEVEDRA, Y LAS DE SANTIAGO DE COMPOSTELA. COMO FIESTAS GASTRONÓMICAS, PODEMOS CITAR LAS DE LA MATANZA DEL CERDO, LAS DEL MARISCO, LAS DE LA SARDINA Y LAS DEL VINO EN ALBARIÑO.

MADRID (2 DE MAYO)

LAS MÁS IMPORTANTES EN LA CAPITAL SON LAS FIESTAS DE SAN ISIDRO EL 15 DE MAYO, LA DE SAN ANTONIO DE LA FLORIDA EN JUNIO Y LAS DE LA VIRGEN DE LA PALOMA EN AGOSTO. EN LA PROVINCIA, CABE MENCIONAR LAS DE VILLAVICIOSA DE ODÓN Y LAS DE TORRELAGUNA, EN LAS QUE SE BAILAN UNAS DANZAS TÍPICAS.

MURCIA (9 DE JUNIO)

LA BATALLA DE FLORES, LA CABALGATA DEL BANDO DE LA HUERTA, EL ENTIERRO DE LA SARDINA Y LAS FIESTAS DE NUESTRA SEÑORA DE LA FUENSANTA SON LAS MÁS FAMOSAS EN LA CAPITAL. EN LA PROVINCIA DESTACAN LAS FIESTAS DE LA VIRGEN DEL CARMEN EN CARTAGENA, LAS DE LA VERA CRUZ EN CARAVACA Y LAS DE LA PURÍSIMA EN YECLA.

NAVARRA (16 DE ABRIL)

CABE RESALTAR LA ROMERÍA DE NUESTRA SEÑORA DEL PUY EN ESTELLA Y LA MARCHA A JAVIER, CONOCIDA POPULARMENTE COMO LA "JAVIERADA". SIN DUDA, LAS MÁS FAMOSAS DE TODAS SON LOS SAN

FERMINES DE PAMPLONA. DURANTE LA SEMANA QUE DURAN, CADA MAÑANA SE SUELTAN UNOS TOROS, QUE ACOMPAÑADOS DE CORREDORES PAMPLONICAS Y DE CUALQUIER LUGAR DEL MUNDO, HACEN UN RECORRIDO POR CIERTAS CALLES DE LA CIUDAD HASTA LLEGAR A LA PLAZA DE TOROS, DONDE TIENE LUGAR EL ENCIERRO.

LA RIOJA (9 DE JUNIO)

DE GRAN VALOR ETNOLÓGICO SON LAS SIGUIENTES PROCESIONES, TODAS ELLAS CELEBRADAS EN MAYO EN SANTO DOMINGO DE LA CALZADA: LA DEL PAN DEL SANTO, LA DEL PEREGRINO Y LAS DONCELLAS, LA DE LOS RAMOS Y LAS PRIORAS Y LA DE LA RUEDA. TAMPOCO HAY QUE OLVIDAR LAS DANZAS DE ZANCOS EN ANGUIANO.

COMUNIDAD VALENCIANA
(9 DE OCTUBRE)

LA SEMANA DEL 12 AL 19 DE MARZO SE CELEBRAN LAS FALLAS DE VALENCIA. LOS ARTESANOS FALLEROS TRABAJAN UN AÑO ENTERO HACIENDO UNAS ESCULTURAS FORRADAS DE CARTÓN, QUE REPRESENTAN PERSONAJES FAMOSOS DE LA POLÍTICA, EL DEPORTE, EL ESPECTÁCULO, ETC. A PARTIR DE LAS 10 DE LA NOCHE DEL 19 SE QUEMAN TODAS ELLAS, EXCEPTO UNA, ELEGIDA ENTRE TODOS, QUE ES INDULTADA Y CONSERVADA EN EL MUSEO FALLERO. OTRAS FIESTAS DESTACABLES SON LAS DE MOROS Y CRISTIANOS DE ALCOY, VILLENA, ETC., ASÍ COMO LAS DE LA ASUNCIÓN, EN ELCHE, EN LAS QUE SE REPRESENTA UN DRAMA RELIGIOSO TITULADO EL MISTERIO DE ELCHE.

PAÍS VASCO (16 DE ABRIL)

EN AGOSTO SE CELEBRA LA SEMANA GRANDE EN BILBAO, VITORIA Y SAN SEBASTIÁN. TAMBIÉN EN SAN SEBASTIÁN SE CELEBRA UNA TAMBORRADA INFANTIL EL DÍA DE SU PATRONO. OTRAS FIESTAS POPULARES SON LOS ALARDES DE IRÚN Y FUENTERRABÍA.

5. Las corridas de toros

La **corrida de toros** o "fiesta nacional", como se la denomina popularmente, ha sido una de las señas de identidad más reconocidas de España en el extranjero, hasta el punto de que junto con el flamenco y la paella parecen formar parte de la imagen internacional de España. Ahora bien, existe una gran polémica en torno a las corridas. Por un lado, los aficionados y la industria taurina sostienen que forma parte de la cultura española, además, consideran que es la única forma para que el toro bravo no se extinga. Por otro, quienes están en contra piensan que el maltrato del toro no es una expresión cultural y que aunque las corridas sean una tradición, la civilización consiste justamente en abandonar las costumbres que no están en consonancia con los nuevos tiempos.

"Cortesía" es un sustantivo derivado del adjetivo "cortés". "Ser cortés" significa "ser atento", "ser respetuoso", "ser amable", es decir, tratar a los demás con respeto, con atención, con amabilidad. Para mostrar cortesía desde un punto de vista lingüístico se utilizan ciertas fórmulas. Existen en todas las culturas pero, como es lógico, pueden variar de una a otra, pues en el fondo representan una forma de comportamiento y una convención social.

10

Fórmulas de cortesía

1. "Tú" y "usted"

Muchas lenguas tienen pronombres parecidos al "usted" español -*vous, lei, você, Sie, De...*-, pero en cada una se usan de forma distinta. No hay reglas simples para decidir si es preferible tutear a una persona o bien tratarla de "usted". La decisión depende de varios factores:

• De la persona con quien se habla (edad, posición social, grado de confianza, oficio, etc.). La costumbre aconseja emplear "usted" con personas mayores que el hablante, con las que tenemos poca confianza y, en el trabajo, con los superiores.

• De la procedencia geográfica de la persona que habla: existen diferencias entre unas zonas y otras del país. Por ejemplo, en las zonas rurales de Andalucía se mantiene la tradición lingüística que señala el empleo de Doña o Don con personas de cierta edad y profesión. Por el contrario, en ciudades como Madrid o Barcelona es frecuente que, por ejemplo,

un empleado tutee a su jefe, o un alumno a un profesor de universidad.

Ante las dudas que surgen en el tratamiento, lo que hacen muchos españoles es empezar hablando de usted. Si la persona en cuestión prefiere que se la tutee, dará el permiso para pasar al "tú": "Oye, si no te importa, prefiero que nos tuteemos" o bien, "Puedes tratarme de tú" o incluso, "No me trates de usted, que me haces sentirme viejo". Otra posibilidad es preguntar abiertamente: "Perdone, no sé si debería tratarle de usted o si prefiere que le hable de tú".

2. "Gracias" y "por favor"

Una de las funciones más importantes de la cortesía es la de ordenar los distintos momentos de la vida social: pedimos por favor, damos las gracias, pedimos permiso, pedimos disculpas, etc. Si un extranjero usa con demasiada frecuencia expresiones como "por favor", "gracias", "lo siento", "perdón", "disculpe", etc., los nativos pensarán que es muy educado o bien que aún no domina el español. En español no se utilizan estas fórmulas con tanta frecuencia ni en

tantos casos como en otros idiomas. Sin embargo, si no las usa lo suficiente, alguien podría llegar a pensar que se está comportando de forma poco educada.

Ejemplos de uso:

Se suele decir "por favor":

Cuando pedimos información, por ejemplo: "Por favor, ¿me puede decir a qué hora sale el próximo tren para Bilbao?"

Cuando pedimos a alguien que nos deje, nos dé o nos acerque algo, por ejemplo: "Por favor, ¿me puedes dejar el diccionario?"

Cuando pedimos a alguien que nos ayude, por ejemplo: "Por favor, ¿me puedes aguantar un momento la puerta?"

Cuando pedimos paso, por ejemplo: "Por favor, ¿me permiten?"

Cuando le pedimos al profesor que repita, que hable más alto que explique algo, por ejemplo "Por favor, ¿qué significa esa expresión?"

En cada una de las situaciones anteriores, una vez que nos han hecho el favor en cuestión, lo propio es que digamos "gracias".

3. El turno en las conversaciones

A algunos extranjeros les sorprende oír a dos españoles hablando a la vez, no sólo en una charla informal entre amigos, sino incluso en una reunión formal o en una tertulia en televisión entre personas cultas y educadas. Ciertamente, se considera que es de buena educación esperar a que acabe de hablar la persona que ha empezado primero o pedir la palabra por ejemplo, diciendo: "Si me permiten un momento...", o bien levantando la mano. Sin embargo, estas normas no siempre se respetan, por diferentes motivos: a veces interrumpimos a alguien porque ya hemos entendido o aceptado lo que está diciendo, otras veces uno prevé lo que va a decir el otro y se adelanta, etc.

4. Los cumplidos y piropos

Se llaman "piropos" o "cumplidos" a las expresiones de elogio o alabanza dirigidas a una persona. Estas expresiones pueden referirse a la belleza, al aspecto físico, a la inteligencia... A menudo suelen plantear dudas, incluso a los propios nativos, pues no es fácil saber qué se debe contestar si alguien nos dice que somos guapos, buenos o inteligentes, o si dice que llevamos una ropa elegante. En gran parte de los casos se opta por restar o quitar importancia a lo que se alaba.

5. Fumar en público

A pesar de que la legislación española es cada vez más restrictiva con el tabaco, existe cierta tolerancia social con los fumadores. Sin embargo, a la hora de fumar en público se considera de buena educación preguntar antes de encender el cigarrillo: "Perdone, ¿le importa que fume?", sobre todo si uno está en casa de otra persona, en su coche, etc. Esta sencilla muestra de respeto y de cortesía, por lo general, es suficiente para que la otra persona conteste: "No, no me importa", a veces incluso cuando el humo le desagrada.

En determinados lugares públicos -restaurantes, aeropuertos, estaciones, trenes, etc.- existen unas zonas señaladas para fumadores y otras para no fumadores. La tendencia parece ser a restringir cada vez más los espacios públicos cerrados donde está permitido fumar. Un ejemplo lo tenemos en los transportes públicos: en algunos trenes ya no hay vagones para fumadores, en numerosos vuelos ya no está permitido fumar en ninguna zona de la cabina del avión, etc.

```
NAME OF PASSENGER
SALIDO/NURIAELVIRA
EURO TRAVELLER
FROM   LONDON           LHR
TO     MADRID           MAD

CARRIER / FLIGHT   CLASS / DATE    TIME
BA   458   M 06MAY 0950

GATE   GATE CLOSES   SEAT   SMOKE
       0940                 XX
                     21E
PCS.   CK. WT.   UNCK. WT.   SEQ. NO.
0      0         0    102
```

☐ A PARTIR DE 2005 SE PROHÍBE FUMAR EN EL TRABAJO

El plan antitabaco acordado entre el Ministerio de Sanidad y las autonomías tiene como objetivos prohibir fumar en el trabajo, aumentar la edad para comprar tabaco de los 16 a 18 años, subir el precio del tabaco, prohibir las máquinas expendedoras y financiar el tratamiento para dejar de fumar. Con estas medidas se pretende que en 2007 el número de fumadores disminuya del 32% al 26%, esto es, un 6%.■

(Adaptado de El País, 21 de septiembre de 2001)

Uno de los aspectos que con más frecuencia sorprende e incluso desconcierta al visitante extranjero que llega a España son los horarios. Desde la entrada de España en la Unión Europea en 1986, la vida de los ciudadanos españoles es en varios aspectos cada vez más parecida a la de otros ciudadanos comunitarios. Ahora bien, en materia de horarios la sociedad española ha optado por mantener sus propias costumbres. En general, la jornada de los españoles empieza más tarde: se levantan y empiezan a trabajar más tarde, comen más tarde, salen de trabajar, van a comprar, hacen deporte, se divierten... más tarde, cenan, ven la tele, charlan... y, por supuesto, se acuestan más tarde.

Horarios

compra, ir al gimnasio, ir al cine, etc., con lo que la hora de llegada a casa puede retrasarse hasta la cena.

La hora de acostarse, generalmente, oscila entre las 11 y las 12 de la noche. El fin de semana es distinto, puesto que mucha gente se acuesta más tarde de lo habitual. No pocos jóvenes que salen a divertirse se acuestan casi al amanecer.

> ☐ *La ley de comercio de 1996 tiene como objetivo final la plena libertad de cada comerciante para fijar el horario de apertura al público tanto los días laborables como los domingos y festivos. Los pequeños y medianos comercios se oponen a la libertad para poder abrir los domingos y festivos. Por el contrario, las grandes superficies comerciales desean ampliar las posibilidades de apertura en domingos y festivos, que en general se sitúan ahora en ocho días al año. Los consumidores, por su parte, se muestran favorables a permitir que abra quien quiera abrir para que pueda comprar quien quiera comprar.* ■
>
> (Adaptado de *El País*, 23 de mayo de 2000)

1. Un día típico

La hora de levantarse depende directamente de la hora en la que se empieza a trabajar o estudiar y del tiempo que se emplea en el transporte. Como norma general, esas actividades suelen empezar entre 8 y 9 de la mañana, lo que exige levantarse al menos una hora antes.

La jornada laboral estándar es de 8 horas, de lunes a viernes, con una hora al mediodía para el almuerzo. Así, la mayoría de quienes entran a trabajar a las 8 de la mañana salen entre las 5 y las 6 de la tarde. Después del trabajo, es corriente ir a tomar algo o aprovechar para realizar algunas actividades como hacer la

2. Los horarios de los establecimientos públicos

No hay una norma única que regule a qué hora se abre y se cierra cada tipo de establecimiento público. Las leyes conceden cada vez un mayor margen de libertad a los propios comerciantes, para que estos puedan abrir, si lo desean, más horas cada día e incluso los domingos y festivos. Esta mayor libertad de los últimos años está siendo bien acogida por las grandes superficies, pero los pequeños negocios se sienten perjudicados.

También hay que tener en cuenta que en los meses de julio y agosto muchos establecimientos y empresas hacen un horario especial de verano: algunos trabajan menos horas al día -lo que se llama jornada reducida- y otros no descansan al mediodía y terminan más temprano por la tarde -lo que se llama jornada intensiva, que normalmente se extiende entre las 8:00 y las 15:00-. En estos meses los comercios también suelen cerrar por vacaciones entre dos y cuatro semanas, según el caso.

HORARIOS DE APERTURA Y CIERRE DE ESTABLECIMIENTOS PÚBLICOS[1]

ESTABLECIMIENTO	Mañana	Tarde[2]	Sábado[2]	Domingo[2]
Administración de lotería	9:00-13:30	17:00-20:30	9:00-13:30	
Agencia de viajes	9:00-13:00	16:00-20:00	10:00-13:30	
Alimentación	9:30-13:30	17:00-20:30	9:30-13:30	
Autoescuela	10:00-14:00	16:00-21:00		
Ayuntamiento	9:00-14:00			
Banco o Caja de Ahorros	8:30-14:00		depende	
Cine[3]	16:00-1:00			
Correos	8:00-20:00		8:00-13:00	
Decoración	8:30-13:00	15:00-19:30	como entre semana	
Deportes	9:30-13:30	16:30-20:30	9:30-13:30	
Electrodomésticos	9:45-13:30	16:30-20:30	como entre semana	
Estanco	9:00-14:00	17:00-20:00	como entre semana	
Farmacia[4]	8:00-13:00	17:00-20:00		
Ferretería	8:00-13:00	17:00-20:00	8:00-14:00	
Fotografías	9:30-13:30	16:30-20:30	como entre semana	
Gestoría	10:00-14:00	16:00-20:00	10:00-14:00	
Grandes almacenes[5]	10:00-22:00			
Inmobiliaria	9:00-14:00	16:30-20:30	9:30-13:30	
Librería-papelería	9:00-14:00	17:00-20:30	como entre semana	
Materiales de construcción	9:00-13:00	14:00-18:00	9:30-13:00	
Muebles	10:00-13:30	16:30-20:30	10:00-13:30	
Óptica	10:00-13:30	17:00-20:00	como entre semana	
Pastelería	9:00-14:00	17:00-20:30	como entre semana	como entre semana
Peluquería[6]	9:00-13:30	15:30-20:00	9:00-20:00	
Perfumería	9:00-14:00	16:00-20:30	9:00-14:00	
Quiosco	7:00-14:00	16:00-20:00	como entre semana	8:00-14:00
Regalos	9:30-13:30	17:00-20:30	9:30-13:30	
Restaurante[7]	12:00-16:00	20:00-24:00	como entre semana	como entre semana
Salón de belleza[8]	10:00-23:00		10:00-14:00	
Sanitarios	10:00-13:30	16:30-20:30	como entre semana	
Seguros	9:00-13:30	16:00-20:00		
Solarium	8:00-22:00		9:00-22:00	10:00-15:00
Supermercado	9:00-14:00	17:00-20:00	como entre semana	
Tiendas de ropa	10:00-14:00	17:00-20:30	como entre semana	
Todo a 100	10:00-13:30	17:00-20:30	como entre semana	
Veterinario	10:00-14:00	17:00-21:00		
Videoclub	10:00-13:30	17:00-21:30	como entre semana	como entre semana
Zapatería	9:30-13:30	17:30-20:30	como entre semana	

[1]Estos horarios son indicativos, ya que dependen de las diferentes comunidades autónomas. [2]Las casillas vacías indican que está cerrado. [3]El lunes o el miércoles son los días del espectador y se hace un 20% de descuento. [4]Hay farmacias de guardia de noche y los festivos. [5]Pueden abrir el primer domingo de cada mes. [6]Lunes cerrado. [7]Muchos restaurantes cierran un día entre semana. [8]Lunes cerrado.

3. Los horarios de las comidas

Sin duda, uno de los aspectos más sorprendentes es el de las horas de las comidas. La idea de que en España se come tarde y casi a cualquier hora del día no es, en el fondo, del todo erróneo. El desayuno suele

tomarse entre las 7 y media y las 8 y media. A media mañana muchos españoles toman café, un bocadillo... El almuerzo es alrededor de las 2 de la tarde y la cena, entre las 9 y las 10. Como entre el almuerzo y la cena pasan bastantes horas, la mayoría de los niños y adolescentes, y también algunas personas mayores, meriendan por la tarde, a las 5 o a las 6. La merienda típica es un bocadillo, aunque algunos, sobre todo los

mayores, se conforman con una merienda más ligera, por ejemplo un café y unas galletas.

Los domingos, como la gente se levanta más tarde, el almuerzo se retrasa. Quienes han salido la noche anterior suelen levantarse más cerca del almuerzo que del desayuno y a veces optan por no desayunar, y esperan un rato más hasta la hora de la comida, o hasta la del aperitivo (el vermú, la caña, el vino o las tapas), muy frecuente los domingos. En realidad, hay quien toma el aperitivo a diario, pero mucha gente no tiene tiempo más que los días festivos.

Estos horarios pueden variar dependiendo de la comunidad autónoma, del tipo de actividad que desempeñe la persona en cuestión, de si se vive en la ciudad o en el campo...

4. Las horas de la siesta

La palabra española "siesta" se ha exportado a otros países,

y con ella frecuentemente la creencia de que todos los españoles la duermen a diario. Lo cierto es que, debido a los horarios de estudios o de trabajo, muchos españoles no tienen oportunidad de dormir la siesta. En las zonas rurales es más común dormir la siesta especialmente en los meses de verano, dado que las fuertes temperaturas de las primeras horas de la tarde impiden llevar a cabo labores agrícolas y ganaderas. Algunas personas que habitualmente no duermen la siesta, sí lo hacen durante las vacaciones de verano. Aparte del calor, hay que tener en cuenta otros factores, como el hecho de que el almuerzo tradicional español es una comida fuerte, con frecuencia acompañada de un vaso de vino. Todo ello predispone a un rato de descanso en la cama o en el sofá.

5. Las horas de la noche

Los más jóvenes suelen salir por la tarde y regresan a sus casas antes de las 12 de la noche. Los padres suelen ser más flexibles con los hijos que con las hijas, lo cual suele ocasionar alguna que otra discusión entre las dos generaciones debido a la diferencia de trato.

En determinadas familias, cuando los hijos cumplen los 18 años se les concede plena libertad en este sentido. Sin embargo, en otras familias se considera que mientras los hijos sigan viviendo en casa de los padres, éstos siguen siendo responsables de aquéllos.

Una vez que los chicos no tienen que dar explicaciones a los padres, entonces el horario depende de cada uno, de sus amigos, la pareja, etc. y también de los horarios de los lugares a los que van. Hay discotecas, salas de fiestas, etc. que abren a las 10 de la noche y cierran a las 2 o las 3; otras no abren hasta las 12 de la noche y cierran cuando ya es de día, son los conocidos como *after hours.*

HORARIOS DE CIERRE DE ARANDA DE DUERO (CASTILLA Y LEÓN)

TIPO DE ESTABLECIMIENTO	De domingo a miércoles	De jueves a sábado y vísperas de festivos
Cines, teatros, circos	1:00	1:30
Frontones	1:00	1:30
Boleras	24:00	1:00
Espectáculos al aire libre	1:00	1:30
Verbenas y fiestas populares	2:30	3:30
Restaurantes	1:30	2:00
Salones, cafés, bares	2:00	2:30
Cafeterías	2:00	2:30
Tabernas	1:00	1:30
Salas de fiestas de juventud	22:00	22:30
Discotecas y salas de baile	4:00	5:30
Salas de bingo	4:00	4:00
Bares especiales, *wiskerías, pubs*	2:30	4:00

Fuente: www.ayaranda.es/policia

En cuanto a los horarios de los establecimientos nocturnos, si bien la Ley de Espectáculos Públicos, Actividades Recreativas y Establecimientos Públicos permite una cierta flexibilidad, últimamente las autoridades, tanto estatales como autonómicas y locales, están tomando medidas que tratan de conciliar los intereses de los vecinos con los de la gente que desea divertirse. A modo de ejemplo, en esta página tenemos el horario de cierre de los establecimientos públicos en el municipio de Aranda de Duero (Castilla y León).

La antigua imagen asociada a los españoles presentaba a los hombres como de baja estatura, morenos y con bigote y a las mujeres, exóticas y apasionadas. Lo cierto es que la sociedad española actual constituye un grupo cada vez más heterogéneo, donde se van mezclando las razas, los gustos estéticos y las formas de vida. Así, no se puede hablar de una única imagen del español medio, sino más bien de una serie de tendencias estéticas, en mayor o menor medida, condicionadas por los cambios dictados por la moda.

1) La preocupación por la apariencia física

2) La búsqueda de una imagen y la moda en el vestir

Imagen y estética

1. La preocupación por la apariencia física

Lo que ya se conoce como el "culto al cuerpo" es una moda reciente, de la que millones de españoles -hombres y mujeres- participan. Prueba de ello es que cada vez son más los que acuden con regularidad a los gimnasios, centros de belleza, *solarium*, saunas, piscinas, etc., así como quienes se someten a un tratamiento de cirugía estética, es decir, se operan para mejorar la imagen externa, para gustar más a los demás y a sí mismos.

Los españoles todavía no se preocupan tanto, aunque sí cada vez más, por los problemas del sobrepeso. Según un estudio reciente realizado por el Centro de Investigaciones Sociológicas, sólo un 17% de los españoles está bastante o muy pendiente de su peso y sólo el 25% ha seguido o sigue algún tipo de dieta, en el 54% de los casos por razones de salud.

Otra cuestión que afecta tanto a la estética como a la salud es la del bronceado. En España -y en la cultura occidental, en general- se considera que una piel bronceada tiene un aspecto más saludable que una piel pálida. Con todo, desde que los científicos empezaron a advertirnos de los peligros de los rayos ultravioleta, de los que la debilitada capa de ozono ya no nos protege como antes, la gente ha tenido que buscar soluciones para compaginar la estética con la salud. Es curioso cómo en este país de tanto sol se han abierto *solarium* con salas y cabinas de rayos UVA que broncean durante todo el año.

Hasta hace pocos años el mercado de los productos de belleza y de estética en España iba dirigido casi exclusivamente a la población femenina. Sin embargo, en los últimos tiempos se está produciendo un cambio de hábitos relevante en este sentido: los hombres -mayormente los jóvenes- también han empezado a interesarse por productos de belleza como, por ejemplo, lociones hidratantes y bronceadoras, o servicios de higiene y estética como, por ejemplo, limpieza facial, manicura, tinte de pelo, etc.

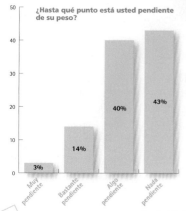

¿Hasta qué punto está usted pendiente de su peso?

	Muy pendiente	Bastante pendiente	Algo pendiente	Nada pendiente
%	3%	14%	40%	43%

Fuente: CIS, 1998

En general, en España sólo se maquillan y se pintan las mujeres. Muchas chicas empiezan a maquillarse y a pintarse los labios, las uñas, etc. alrededor de los quince años. La colonia es parte de la vida cotidiana de los españoles; la usan mujeres y hombres, niñas y niños. La gente utiliza colonia no sólo en situaciones o en citas especiales, sino también a diario: para ir al trabajo, al instituto, a la guardería...

2. La búsqueda de una imagen y la moda en el vestir

Según las estadísticas, de entre los europeos, los que más se preocupan por su imagen son los italianos, los franceses y los españoles. En efecto, antes de salir con los amigos, ir a pasear, etc., lo normal es arreglarse: peinarse, echarse colonia, ponerse ropa un poco más elegante que para estar en casa, etc. Caso aparte es el de los que por su trabajo se ven obligados a llevar ropa elegante y aprovechan la noche o el fin de semana para relajarse en el vestir, poniéndose ropa deportiva. En las empresas no es extraño que incluso los altos ejecutivos acudan el viernes con pantalones vaqueros y sin corbata, imagen que contrasta con la del resto de la semana laboral.

La moda española acoge las tendencias de otros países, tanto europeos (Francia, Italia...) como orientales (China, Japón...). Por otra parte, algunos modistas españoles también gozan de una creciente proyección internacional.

En un nivel económico más asequible que la ropa de los grandes diseñadores se sitúan las cadenas de moda que confeccionan prendas cómodas, baratas y con diseños modernos y que están teniendo un impacto notable en la forma de vestir de miles de españoles. Zara y Mango son dos de esas cadenas internacionales nacidas en España.

☐ Hace 26 años abrió sus puertas la primera tienda **Zara** en La Coruña. Hoy ya está presente en 30 países con una red de aproximadamente 500 tiendas. Zara forma parte del Grupo Inditex cuya sede central también está en La Coruña. Nuestra forma de entender la moda –creatividad y diseño de calidad– y una respuesta ágil a las demandas del mercado han permitido una rápida expansión internacional y una excelente acogida social. ■

(Adaptado de www.inditex.com)

☐ **Pedro del Hierro** define la moda como un constante proceso evolutivo. Sus colecciones han viajado con éxito por Europa, Estados Unidos y América Latina.

Roberto Verino diseña para la mujer segura y de espíritu libre, que sabe lo que quiere. Tiene tiendas por toda España y otros países europeos.

José Víctor Rodríguez Caro y **José Luis Medina del Corral**, responsables de la reconocida firma sevillana Victorio & Lucchino comenzaron exhibiendo sus primeras colecciones en Nueva York en 1985; siguieron las pasarelas de Italia, Suecia, Francia, Japón, Holanda... ■

(Adaptado de www.planemagi.com.ar)

MANGO

☐ **Mango**, cuya sede central está en Palau-Solità i Plegamans (Barcelona), es una multinacional dedicada al diseño, fabricación y comercialización de prendas de vestir y complementos para la mujer. Es la segunda empresa exportadora del sector textil español. El concepto "Mango" nace de la relación entre un producto de calidad, con un diseño propio y a un precio asequible. Actualmente contamos con más de 575 tiendas en 68 países. ■

(Adaptado de www.company.mango.es)

Jugar y apostar dinero es legal en España. De hecho, es el Organismo Nacional de Loterías y Apuestas del Estado (O.N.L.A.E.) el encargado de gestionar la mayor parte de las apuestas.

La mayoría de los españoles consideran que los juegos de azar son formas de entretenimiento aceptables, si bien son conscientes de que pueden llegar a crear hábito entre quienes los practican. El preferido de todos es, sin lugar a dudas, la Lotería Nacional de Navidad; le siguen a cierta distancia la Lotería de la ONCE y la Lotería Primitiva. Los más rechazados, por el contrario, son los casinos, bingos y las máquinas recreativas o "tragaperras".

Por regla general, los jugadores no gastan más de 6 euros al mes, excepto cuando llega el sorteo de Navidad. Jugar y apostar es en buena medida una tradición, pero, sobre todo, una esperanza de ganar dinero para compartirlo con la familia y, en muchos casos, dejar de trabajar.

Juegos de azar y apuestas

1. La Lotería primitiva

La tradición de la Lotería comenzó en España en 1763. El sistema original de aquella Lotería primitiva consistía en marcar cinco números en un boleto en el que había 90 números. En la actualidad el sistema es muy parecido: marcar seis números en un boleto de 49 (desde el 1 hasta el 49).

Cada día -de lunes a domingo- hay un sorteo, aunque, según el día de la semana, recibe uno u otro nombre y el impreso es de uno u otro color. He aquí las variantes:

2. Las loterías modernas

En 1812 se introdujo en España la llamada Lotería moderna, de la que el Estado tiene el monopolio desde 1913. El Estado pone a la venta en las administraciones unos billetes que tienen un solo número de 6 cifras. Los billetes están divididos en diez fracciones o décimos, es decir, diez papeletas con el mismo número, aunque

cada una tiene un número diferente de fracción: 1ª fracción, 2ª fracción... y 10ª fracción. De cada número el Estado hace varios billetes, cada uno con un número distinto de serie: 1ª serie, 2ª serie, 3ª serie, etc. Si, por ejemplo, hay 10 series, entonces habrá 100 décimos que tendrán exactamente el mismo número. Normalmente, las series de un mismo número se reparten entre varios lugares de España. Hay quien compra un billete entero, pero lo más habitual es comprar décimos sueltos.

En cada sorteo hay dos premios principales: el primer premio, conocido popularmente como "el Gordo", y el segun-

DÍAS	lunes, martes, miércoles y viernes	jueves y sábado		domingo
NOMBRE	Bono Loto	La Primitiva	La Primitiva	El GORDO La Primitiva
COLOR de la franja superior del impreso	verde y rojo	• verde para el jueves • marrón para el jueves y el sábado		negro
PRECIO de 1 apuesta	0,50 €	1 €		1,5 €

do premio. Entre los premios menores, podemos citar las aproximaciones, que son para el número anterior y posterior al primer premio y al segundo premio, así como para los números cuyas dos o tres últimas cifras coincidan con las de los premios principales. Existen asimismo unos premios de consolación, que la gente llama "la pedrea". Cuando a uno "le toca la pedrea", cobra el doble o el quíntuple, según el caso, de lo que ha gastado: si ha comprado un décimo de 6 euros, el premio puede ser o bien de 12 euros o bien de 30 euros. El más pequeño de todos los premios es el reintegro: exactamente el dinero que uno ha gastado, de modo que ni se gana ni se pierde.

Hay quien apuesta a diario y hay quien no lo hace casi nunca. Ahora bien, para la Lotería de Navidad, cuyo sorteo se celebra el 22 de diciembre, millones de españoles compran al menos un décimo. Para esa ocasión, muchas tiendas venden o incluso regalan participaciones -pequeñas partes de un décimo- a los clientes. También hay grupos de estudiantes que van por la calle vendiendo participaciones; luego los beneficios de las ventas los emplean para un viaje de fin de curso. En las empresas es habitual que se compren algunos billetes entre todos y se dividan en participaciones.

La radio y la televisión retransmiten en directo todo el sorteo. Desde las 8:30 de la mañana, hora en que comienza el sorteo, hasta que salen los cinco primeros premios, prácticamente todo el país está pendiente de lo que van cantando los niños y niñas del Colegio de San Ildefonso, quienes año tras año son los encargados de "repartir la suerte", es decir, de sacar las bolas de los dos bombos: un niño va sacando las bolas con los números premiados y su compañero va sacando las bolas con el importe de los premios, y con una peculiar entonación tradicional van leyendo una por una las bolas que van saliendo. El 5 de enero se celebra cada año la Lotería del Niño, también muy popular y con premios importantes.

Por último, hay otros dos tipos de loterías modernas que no gestiona el Estado. Una de ellas es la Lotería de la ONCE: Organización Nacional de Ciegos de España, fundada en 1938. Se celebra a diario de lunes a viernes y el domingo, siendo el sábado el único día sin

sorteo. Los cupones los venden ciegos y otros disminuidos físicos; muchos de ellos se encuentran en unos quioscos que la ONCE tiene repartidos por todas las ciudades, pero también hay vendedores ambulantes. El precio de un cupón es 1 euro y el premio máximo son 30.000 euros. Los viernes cada cupón vale 2 euros, pero hay un premio especial, el "Cuponazo", de 5.000.000 de euros. Los premios caducan a los 30 días del sorteo.

La otra es el Sorteo del Oro, que organiza la Cruz Roja cada año la segunda quincena de julio. Se llama así, porque los premios se entregan en lingotes de 1 Kg de oro de 24 quilates, aunque también pueden cobrarse en dinero. El precio de cada papeleta o décimo es de tres euros. El primer premio consiste en 130 lingotes, el segundo premio son 50 lingotes y el tercero, 25. Los premios caducan a los 90 días del sorteo.

caballos y de carreras de galgos, que se gestionan en el mismo hipódromo o canódromo.

Ahora bien, las más populares son las quinielas de fútbol, que gestiona el Estado. En el boleto de La Quiniela el apostante tiene que marcar el resultado entre las tres opciones posibles de cada uno de los 15 partidos que aparecen: 1, si cree que va a ganar el equipo que juega en su campo, 2, si cree que va a ganar el equipo que juega en el campo contrario y X, si cree que los dos equipos van a empatar. En el boleto aparecen partidos de 1ª división y de 2ª división. El precio de cada apuesta es de 0,30

Otro tipo de apuestas, parecido al anterior y también relacionado con el fútbol, es El Quinigol, juego que consiste en acertar el número de goles que va a marcar cada equipo. En el boleto aparecen 6 partidos, es decir, 12 equipos. El precio de cada apuesta es de 0,60 euros. El 20% de la recaudación se reparte entre los acertantes de los seis partidos; un 10%, entre los acertantes de cinco; otro 10%, entre los de cuatro y un 15%, entre los de tres.

Tanto en la Lotería Primitiva como en las quinielas y en el Quinigol, la cantidad exacta de dinero que cobran los acertantes depende de cuánta gente apueste, cuánto dinero apueste cada uno y cuánta gente acierte.

Además de las apuestas sencillas, existen otros tipos de apuestas múltiples.

LOTERÍAS Y APUESTAS DEL ESTADO   SENCILLO-MÚLTIPLE   261

La Quiniela

SENCILLAS: Marque en la zona de PRONÓSTICOS 14 signos por bloque (reenvío 2).
MÚLTIPLES: Marque los pronósticos sólo en bloque 1 y en la zona de COMBINACIONES 14 casilla que indique el número de DOBLES y TRIPLES pronosticados.

	PRONOSTICOS	COMBINACIONES
R. MALLORCA-RAC. SANTANDER . 1	1 X 2 1 X 2 1 X 2 1 X 2 1 X 2 1 X 2 1 X 2 1 X 2 1 X 2 1 X 2	1
R. ZARAGOZA-ESPANYOL 2	1 X 2 1 X 2 1 X 2 1 X 2 1 X 2 1 X 2 1 X 2 1 X 2 1 X 2 1 X 2	2
R. CELTA-ALAVÉS 3	1 X 2 1 X 2 1 X 2 1 X 2 1 X 2 1 X 2 1 X 2 1 X 2 1 X 2 1 X 2	3
R. SOCIEDAD-R. BETIS 4	1 X 2 1 X 2 1 X 2 1 X 2 1 X 2 1 X 2 1 X 2 1 X 2 1 X 2 1 X 2	4
R. VALLECANO-R. VALLADOLID . 5	1 X 2 1 X 2 1 X 2 1 X 2 1 X 2 1 X 2 1 X 2 1 X 2 1 X 2 1 X 2	5
AT. MADRID-R. MADRID 6	1 X 2 1 X 2 1 X 2 1 X 2 1 X 2 1 X 2 1 X 2 1 X 2 1 X 2 1 X 2	6
SEVILLA-NUMANCIA 7	1 X 2 1 X 2 1 X 2 1 X 2 1 X 2 1 X 2 1 X 2 1 X 2 1 X 2 1 X 2	7
R. OVIEDO-ATHLETIC BILBAO . . 8	1 X 2 1 X 2 1 X 2 1 X 2 1 X 2 1 X 2 1 X 2 1 X 2 1 X 2 1 X 2	8
BARCELONA-DPTIVO. CORUÑA . 9	1 X 2 1 X 2 1 X 2 1 X 2 1 X 2 1 X 2 1 X 2 1 X 2 1 X 2 1 X 2	9
VALENCIA-MÁLAGA 10	1 X 2 1 X 2 1 X 2 1 X 2 1 X 2 1 X 2 1 X 2 1 X 2 1 X 2 1 X 2	10 TRIPLES
VILLARREAL-TENERIFE 11	1 X 2 1 X 2 1 X 2 1 X 2 1 X 2 1 X 2 1 X 2 1 X 2 1 X 2 1 X 2	11
ELCHE-SPORTING GIJÓN 12	1 X 2 1 X 2 1 X 2 1 X 2 1 X 2 1 X 2 1 X 2 1 X 2 1 X 2 1 X 2	12
BADAJOZ-MÉRIDA 13	1 X 2 1 X 2 1 X 2 1 X 2 1 X 2 1 X 2 1 X 2 1 X 2 1 X 2 1 X 2	13
LLEIDA-AT. OSASUNA 14	1 X 2 1 X 2 1 X 2 1 X 2 1 X 2 1 X 2 1 X 2 1 X 2 1 X 2 1 X 2	14 DOBLES

FECHA: 19-3-00   JORNADA: 30.ª   MAL X   BIEN X

PLENO AL 15   **EXTREMADURA-LEVANTE . . .**   1   X   2   ← MARQUE UN SOLO SIGNO

BLOQUES →   1   2   3   4   5   6   7   8

---

3. La Quiniela

Otro sistema que hay en España desde 1946 para apostar dinero es el de la Quiniela. Hay quinielas de carreras de

euros. El 10% de la recaudación se reparte entre los acertantes de los 15 partidos; un 15%, entre los acertantes de 14; otro 10%, entre los de 13; otro 10%, entre los de 12 y otro 10%, entre los de 11.

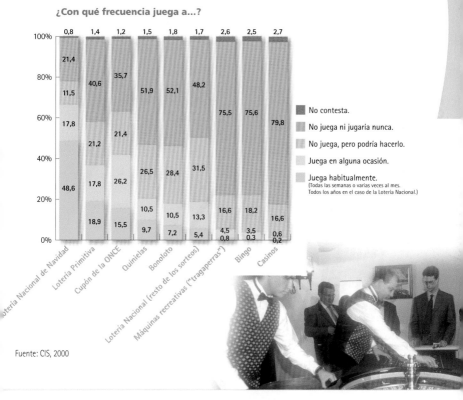

¿Con qué frecuencia juega a...?

Leyenda:
- No contesta.
- No juega ni jugaría nunca.
- No juega, pero podría hacerlo.
- Juega en alguna ocasión.
- Juega habitualmente.
  (Todas las semanas o varias veces al mes.
  Todos los años en el caso de la Lotería Nacional.)

Fuente: CIS, 2000

3. El Bingo

Otro sistema popular de apostar dinero es el Bingo, que se juega en un local especializado, llamado bingo, o bien en un casino o en cualquier otro local de juego. Cada jugador compra un cartón, en el que hay 3 líneas; en cada línea hay 5 números y 2 casillas en blanco hasta conformar un total de 15 números. Los números de cada ficha van del 1 al 90, pero no son correlativos (23, 24, 25, 26...), sino que están desordenados (78, 12, 66, 3...). El coordinador o crupier va extrayendo bolas de un bombo. Al extraer la bola, el coordinador canta el número, y éste aparece en una pantalla electrónica. Los jugadores deben marcar cada uno en su ficha los números que van saliendo. El primer jugador que marque todos los números de una línea de su ficha debe cantar "línea" y así ganará un premio. El jugador que, de acuerdo con los números que va cantando el coordinador, marque primero todos los números de su ficha será el ganador, pero para ello, deberá cantar "bingo". De todo el dinero apostado o recaudado el 10% suele destinarse al premio por la línea y el 60%, al premio por el bingo.

Como en toda sociedad de la información, la española ha visto crecer en número e influencia los llamados "medios de comunicación". A los tradicionales, prensa, radio y televisión, se ha sumado Internet, que cuenta con una expansión y una importancia crecientes. La televisión es, sin duda, el medio más popular entre los españoles y uno de los factores que explican la tendencia a la uniformidad que vive la sociedad en estos momentos.

1) Los periódicos
2) Las revistas
3) La radio

4) La televisión
5) El cine
6) Internet

Medios de comunicación

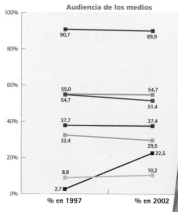

Audiencia de los medios

Fuente: AIMC, 2002

■ TELEVISIÓN (espectadores / día)
■ RADIO (oyentes / día)
■ REVISTAS (lectores / periodo publicación)
■ DIARIOS (lectores / día)
■ SUPLEMENTOS (lectores / semana)
■ CINE (espectadores / semana)
■ INTERNET (usuarios / mes)

1. Los periódicos

La oferta de la prensa diaria española es cada vez más variada. El 78% de los diarios son de información general; el 20%, de deportes y el 2%, de economía. De entre los de información general, algunos son de ámbito nacional, mientras que otros sólo se difunden en una determinada zona del país: una comunidad autónoma, una provincia o una comarca. Según los datos facilitados en 2002 por la AIMC (Asociación para la Investigación de los Medios de Comunicación), los periódicos de información general más leídos en España son: *El País* (1.603.000 lectores), *El Mundo* (1.075.000 lectores), *Abc* (813.000 lectores) y *El Periódico* (764.000 lectores), mientras que los diarios deportivos más leídos son: *Marca* (2.096.000 lectores), *As* (747.000 lectores), *El Mundo Deportivo* (459.000 lectores) y *Sport* (447.000 lectores). Salta a la vista que la prensa deportiva suscita un interés enorme

entre los lectores. Por otro lado, no pasemos por alto el hecho de que cualquier diario de información general dedica una sección a los deportes.

Por más que los diarios procuren ofrecer una información objetiva, parece inevitable que cada uno de ellos refleje, en cierta medida, la tendencia ideológica de la editorial y del equipo de redacción. Así, se considera que algunos de ellos son más bien conservadores -*Abc*, *La Razón*, *La Vanguardia*...-, y otros más bien liberales -*El País*, *El Periódico de Cataluña*, *El Mundo*...-. En cuanto a la prensa deportiva, cabe señalar que los diarios suelen prestar una atención especial a los equipos del entorno más próximo, con los que, en cierto modo, pueden sentirse identificados. Así, por ejemplo, *As* y *Marca* dedican buena parte de

sus páginas a los equipos de Madrid, mientras que *Sport* y *El Mundo Deportivo* se las dedican a los equipos de Barcelona.

Según el Estudio General de Medios realizado en 2002 por la AIMC, estos son los números de lectores de cada tipo de prensa: de información general, 11.627.000, deportiva, 3.459.000 y de economía, 141.000. El total asciende a 13.037.000 lectores (de ellos, el 48,6% son hombres y el 51,4%, mujeres), lo que supone, aproximadamente, el 30% de la población.

2. Las revistas

En función del contenido o temas tratados, éstos son los principales tipos de revistas preferidos por los lectores y algunas de las revistas más representativas de cada categoría:

CORAZÓN: ¡HOLA!, SEMANA, DIEZ MINUTOS, PRONTO, ¡SORPRESA!, ¿QUÉ ME DICES?

DIRIGIDAS A LAS MUJERES: COSMOPOLITAN, CLARA, ELLE, RAGAZZA, MÍA, VOGUE, AR.

CIENTÍFICAS: MUY INTERESANTE, NATIONAL GEOGRAPHIC, SABER VIVIR, INVESTIGACIÓN Y CIENCIA.

DECORACIÓN: EL MUEBLE, MI CASA, CASA Y JARDÍN, INTERIORES, BRICOLAGE Y DECORACIÓN.

TELEVISIÓN: CANAL +, CANAL SATÉLITE DIGITAL, TELE PROGRAMA, TELENOVELA.

INFORMÁTICA: PLAYSTATION, PC ACTUAL, PC WORLD, HOBBY CONSOLAS, PC MANÍA.

MOTOR: MOTOCICLISMO, AUTOPISTA, COCHE ACTUAL, MOTOR 16, SÓLO MOTO ACTUAL.

Las revistas más populares son las llamadas revistas del corazón o prensa rosa, cuyos protagonistas son actores, cantantes, miembros de las casas reales o, últimamente, personajes interesados en protagonizar escándalos de todo tipo. Hoy en día, de cada cuatro revistas que se leen, una es de ese tipo.

En cuanto a las revistas de información general, éstas son las más vendidas: *Interviú, Tiempo, Época, Tribuna* y *Cambio 16.*

Las revistas de menor difusión tratan sobre temas como los espectáculos, la religión, la electrónica y la literatura.

3. La radio

Según el EGM realizado en 2002 la mitad de los españoles escuchan la radio unas dos horas al día de promedio, principalmente de lunes a viernes. Si bien es cierto que la televisión es más popular que la radio, por la mañana hasta las 13:30 el número de radioyentes supera al de telespectadores. La mayoría de la población española escucha la radio en casa (40,1%), aunque también la escucha en el coche (12,5%) y en el trabajo (6,7%).

En los últimos años las emisoras de onda media (OM) han perdido audiencia, mientras que las de frecuencia modulada (FM) tienen cada vez una mayor aceptación. Las 10 emisoras de radio más escuchadas son:

EMISORA	Promedio de oyentes
SER	4.155.000
C40	2.526.000
Onda Cero	2.343.000
RNE-Radio 1	1.808.000
COPE	1.528.000
DIAL	1.437.000
R5TN	718.000
M80	682.000
C100	671.000
Catalunya Rádio	540.000

▮ Generalista ▮ Temática

Fuente: AIMC, 2002

Según un estudio realizado en 2000 por el Centro de Investigaciones Sociológicas (CIS), los radioyentes escuchan habitualmente, por orden de prefe-

rencia, noticias e informativos (48,4%), música moderna (35%), tertulias (19%), *magazines* y entrevistas (17,6%), programas o retransmisiones de fútbol (13,5%) y otros deportes (10,8%). Merece la pena señalar el papel que desempeñan los programas de tertulias, ya sean retrasmitidas por radio o por televisión, dado que para buena parte de la audiencia constituyen un referente en la creación de opinión pública.

4. La televisión

Nueve de cada diez españoles ven la televisión a diario aproximadamente unas 3 horas y media, en la misma proporción que los franceses, los alemanes o los británicos.

La hora de máxima audiencia es entre las 9 y las 11 de la noche: uno de cada dos españoles está viendo la televisión a esa hora.

En España existen varias cadenas de ámbito nacional: TVE1 y La 2 son estatales, es decir, de titularidad pública; Antena 3, Tele 5 y Canal Plus son privadas. La programación varía bastante de unas a otras. La ficción -cine, series, etc.- ocupa la mitad de la programación en las privadas, pero sólo una cuarta

parte en La 2. Los programas culturales ocupan otro cuarto en La 2, frente a un 2% en Tele 5 y un 0,2% en Antena 3. Las cadenas nacionales acaparan la atención de la mayor parte de la audiencia, en total, el 78,5% de los telespectadores.

Existen asimismo cadenas de televisión autonómicas. Atendiendo al porcentaje de audiencia, éstas son las principales: Canal Sur en Andalucía, 6,8%; TV3 en Cataluña, 6,6%; Telemadrid, 4,9%; Canal 9 en la Comunidad Valenciana, 4,4%; TVG en Galicia, 2,7% y ETB2 en el País Vasco, 2,7%.

Por último, existen unas 750 emisoras locales de televisión repartidas por cada una de las comunidades y ciudades autónomas.

Según un estudio realizado en 2000 por el Centro de Investigaciones Sociológicas (CIS), los tipos de programas que ven habitualmente los telespectadores en España son, por orden de preferencia, los telediarios e informativos (66,9%); las películas (29,5%); los programas o retransmisiones de fútbol (21,5%); los programas culturales, divulgativos, documentales (20,1%); las series (16,6%); otros programas o retransmisiones deportivas (16,4%); los concursos (14,3%); los programas de espectáculos, musicales, *magazines* (12%) y finalmente, los programas de debates y entrevistas.

El programa de máxima audiencia en 2001 fue la final de la Liga de Campeones. Otros de los programas más vistos ese año fueron la final de la Copa de la UEFA y el partido entre las selecciones nacionales de fútbol de España y Francia. Según la Federación de Asociaciones de Producciones Audiovisuales Españolas, estos fueron los programas más vistos en 2001: *Operación Triunfo*, *Gran Hermano*, *Cuéntame*, *Compañeros*, *El Comisario*, *Periodistas*, *Academia de baile Gloria*, *Hospital Central*, *Policías en el corazón de la calle*, *Un chupete para ella*, *Manos a la obra*, *¡Ala Dina!* y *7 Vidas*. La mayoría de ellos son series semanales de las cadenas nacionales. Los dos primeros de la lista, *Operación Triunfo* (TVE1) y *Gran Hermano* (Tele 5), por su parte, son dos fenómenos televisivos recientes del género conocido como "telerrealidad" o "realidad formateada".

La televisión está experimentando cambios importantes para adaptarse a los avances tecnológicos y para satisfacer las demandas de un público cada vez más exigente. En la actualidad existen nuevas modalidades de televisión por cable, digital, etc. a cuyo servicio se puede acceder mediante pago. La televisión por cable ya es muy común en algunas zonas: uno de cada tres hogares en Castilla y León y uno de cada cuatro en Cataluña la tienen. Además, España es el segundo país del mundo en televisión digital terrestre.

□"OPERACIÓN TRIUNFO" LOGRA MÁS DE DIEZ MILLONES DE SEGUIDORES

Las galas semanales de "Operación Triunfo", en las que cantantes noveles compiten para representar a España en el festival de Eurovisión, son los programas más vistos en los últimos cinco años. Sus audiencias superan con creces cuotas tan elevadas como las de las campanadas de Fin de Año o algunos encuentros futbolísticos que han hecho historia en la pequeña pantalla. El pasado lunes el programa tuvo más de diez millones de telespectadores, es decir, el 59,8% de la audiencia a esas horas de la noche. ■

(Adaptado de *La Vanguardia*, 1 de noviembre de 2002)

HÁBITO de asistencia al cine 2002
% individuos

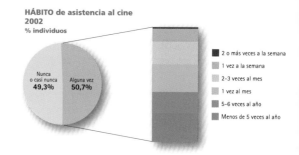

- 2 o más veces a la semana
- 1 vez a la semana
- 2-3 veces al mes
- 1 vez al mes
- 5-6 veces al año
- Menos de 5 veces al año

Nunca o casi nunca **49,3%**   Alguna vez **50,7%**

5. El cine

En España hay unas 2.600 salas de cine, en las que se proyectan alrededor de 1.600 películas cada año. En 2001 se estrenaron en España 101 películas nacionales, más que en cualquiera de los últimos quince años. Se importaron 409 películas, de las que 223 eran estadounidenses.

Según un informe reciente de Eurostat, España tiene el índice más alto (3,4%) de

DISTRIBUCIÓN de la audiencia semanal de cine por exclusivista 2002
Audiencia semanal del cine (en miles): **3548**

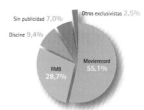

Sin publicidad 7,0%
Discine 9,4%
Otros exclusivistas 2,5%
RMB **28,7%**
Movierecord **55,1%**

Nota: La suma de los porcentajes supera el 100% porque existen individuos que acuden a salas de cine de diferente exclusivista en la misma semana.

Fuente: AIMC, 2002

asistencia al cine por habitante y año de toda la Unión Europea. En efecto, a pesar de la fuerte competencia de la nueva televisión o de los vídeos, el número de espectadores va aumentando: en 1999 se vendieron en España 108 millones de entradas, frente a los 79 millones de 1990. De todos modos, existen grandes diferencias de hábitos entre los propios españoles a la hora de ir al cine.

Normalmente, los lunes y miércoles son buenos días para ir al cine en España, ya que, dependiendo del cine y la ciudad, se hace descuento al comprar la entrada. El precio medio de una entrada es de 5 € y en los llamados días del espectador, alrededor de 4 €. El fin de semana es cuando suele ir más gente, sobre todo, el domingo por la tarde. Al salir del cine, es común ir a algún bar a cenar o, al menos, a tomar algo.

6. Internet

Internet es un nuevo medio de comunicación pero, al mismo tiempo, es un macromedio, ya que permite a los medios tradicionales acercarse a los consumidores: a través de Internet podemos ver la programación de la radio o de la televisión o la cartelera del cine, leer un diario o una revista, etc. Uno de cada cuatro españoles ya utiliza Internet: en 2002 los internautas eran un 24% de la población. El 60,6% de los usuarios accede a Internet desde casa; el 29,8% lo hace desde el trabajo y el 13,2%, desde el centro de estudios. Los servicios más utilizados son, en primer lugar y con una considerable diferencia, la navegación por la Red de Redes (90,1%), en segundo lugar, el correo electrónico (78,1%) y finalmente el *chat* (31%).

La prensa digital en español es la segunda del mundo en cuanto a número de títulos: más de 500 diarios en lengua española están disponibles en Internet; alrededor de 100 de ellos son de España y el resto, de otros países de habla hispana. Buena parte de las revistas y los diarios españoles puede consultarse ya a través de Internet.

Revistas en Internet	Dirección (URL)
Actualidad Económica	www.actualidad-economica.com
Cocina Fácil	www.cocinafacil.com
Diez Minutos	www.diezminutos.wanadoo.es
Época	www.epoca.es
Hola	www.hola.com
Home PC	www.vnunet.es
Lecturas	www.lecturas.es
Muy interesante	www.muyinteresante.es
Semana	www.semana.es
Tiempo	www.tiempodehoy.es

Diarios en Internet	Dirección (URL)
El País	www.elpais.es
El Mundo	www.elmundo.es
Marca	www.marca.es
ABC	www.abc.es
Expansión	www.expansion.com
Cinco Días	www.cincodias.es
La Vanguardia	www.lavanguardia.es
El Periódico	www.elperiodico.es

Probablemente una de las ventajas más notorias de la vida moderna española, en especial en las ciudades, es el incremento del tiempo de ocio de que disponen los ciudadanos y la creciente gama de actividades que los organismos públicos y las sociedades privadas les ofrecen. Así, cada uno puede escoger, según su propio horario, sus posibilidades económicas y sus intereses personales, entre actividades culturales -teatro, conciertos, arte...-, deportivas -boleras, piscinas, patinaje...-, de relaciones sociales -baile, copas, tertulias...-, etc.

15

Ocio

1. Actividades cotidianas

Según las encuestas, los españoles prefieren por encima de todo estar con la familia y, en segundo lugar, con los amigos. Ver la televisión y leer libros y revistas también son actividades muy practicadas en el tiempo de ocio. De cada 10 españoles, 6 tienen por costumbre leer libros y revistas. Al año se publican en España entre 50.000 y 60.000 títulos. Además, en el país hay unas 8.000 bibliotecas, con un total de 100.000.000 libros. Escuchar la radio, oír música, pasear por la ciudad o por el campo, hacer deporte o ir al cine son otras actividades a las que también se les dedica parte del tiempo libre.

Asimismo, cabe mencionar juegos de azar como el parchís, la oca, el dominó, las cartas, el ajedrez, etc. Los juegos de mesa son especialmente comunes en los centros sociales y centros cívicos, locales muchos de ellos de los ayuntamientos, donde la gente puede reunirse en su tiempo libre. Algunos de estos centros se han instalado expresamente para los ancianos, por ejemplo, los hogares del pensionista.

2. Los fines de semana

En general, se considera que el fin de semana es el tiempo para hacer algo distinto que permita "desconectar" del resto de la semana, descansar física y mentalmente, divertirse, relacionarse con las amistades, etc. Sin embargo, mucha gente que está muy ocupada a diario reserva un rato del fin de semana para hacer una compra general. Con más o menos frecuencia, también hay quien aprovecha el fin de semana para ir de compras: ropa, discos, libros, regalos... Otras actividades típicas de los fines de semana son ir a algún espectáculo -cine, teatro, concierto- salir a cenar, tomar una copa, bailar, organizar encuentros con los amigos, etc.

Una costumbre bastante extendida entre los habitantes de las ciudades es salir algunos fines de semana en busca de la naturaleza al campo, a la montaña o a la playa.

Para la mayoría de los jóvenes, lo normal el fin de semana es "ir de marcha", lo que en el lenguaje coloquial significa salir con los amigos o con la pareja a cenar, ir de copas, a la discoteca...

En general, el domingo es un día relajado, sobre todo si el sábado por la noche se ha salido hasta tarde y el lunes hay que empezar una nueva semana laboral o de estudios. El domingo típico de bastantes españoles es, poco más o menos, así: se levantan alrededor de las 11; toman un aperitivo en el bar con los amigos o con la familia hojeando el periódico y de vuelta a casa, compran un pastel para el postre de la comida, que

será alrededor de las 14:30. Después de la comida viene lo que se denomina la "sobremesa": toman café o alguna infusión, una copa de licor, fuman, charlan, ven la tele...; por la tarde salen de paseo, toman algo en un bar, van a casa de alguien de visita o al cine y, finalmente, vuelven a casa un rato antes de la hora de cenar.

Otra opción típica es organizar una visita turística, ya sea dentro de la misma ciudad, o bien a otra población. Según el caso, se visita un museo, un monasterio, un castillo, el nacimiento de un río, un pantano, etc. A los objetivos culturales, de contacto con la naturaleza o de esparcimiento se les suele sumar el gastronómico, ya que

es común almorzar en un restaurante típico o degustar algunos productos propios del lugar.

Para bastantes españoles el protagonista del domingo es el fútbol. Muchos van a alguno de los numerosos campos o estadios que hay repartidos por el país para ver un partido, otros siguen por la radio la retransmisión en directo de un encuentro o van escuchando los resultados de diferentes partidos y comprobando los aciertos en la Quiniela.

3. En las vacaciones

La época principal de vacaciones son los meses de julio y agosto, que es cuando la mayoría de los trabajadores tienen su mes de vacaciones. Algunas empresas no cierran en verano, y los empleados pueden tomar sus vacaciones repartidas en varias veces. De todos modos, el 72% de la población española las toma todas seguidas.

☐ Los avilesinos para las vacaciones eligen destinos turísticos que les son conocidos, como las Islas Canarias y Baleares, Benidorm, la Costa del Sol y la Costa Brava... A esos destinos clásicos se añaden en los últimos años los Parques Temáticos, como Port Aventura, en Tarragona, Terra Mítica, en la provincia de Alicante o el Parque Warner, en Madrid. ■

(Adaptado de *La Nueva España*, 10 de julio de 2002)

☐ El 63% de los aragoneses eligen la playa como el destino ideal para disfrutar sus vacaciones de verano; el 17,6% prefieren hacer excursiones a la montaña y el 7,4%, opta por los viajes culturales. Los destinos más solicitados son las costas catalanas (Costa Brava y Costa Dorada) y la levantina, seguidas de las Islas Baleares y las Canarias. ■

(Adaptado de *El Periódico*, 6 de agosto de 2002)

Según el Centro de Investigaciones Sociológicas, el 47% de los españoles se van de vacaciones, y de éstos el 71% las pasa en un lugar fijo. La mayoría prefiere viajar en coche, ya que de ese modo pueden llevarse más equipaje y cuando lleguen a su destino siempre tendrán a su disposición un medio de locomoción propio. Entre los destinos nacionales preferidos, destacan las zonas costeras.

No obstante, algunos prefieren pasar sus vacaciones en el extranjero. Los países mediterráneos, tanto del sur de Europa como del norte de África, son los destinos internacionales más comunes, aunque muchos eligen otras zonas de Europa. Cada vez son más los que viajan a países exóticos, principalmente del Caribe -República Dominicana, Cuba- o del sudeste asiático -Tailandia, Indonesia-. También los hay que optan por viajes menos habituales, tales como un safari a algún país africano.

Quienes no se van de vacaciones, es decir, la otra mitad de los españoles, también suelen hacer algo distinto en esta época del año. Una opción es ir a la piscina, donde pueden pasar todo el día, pues estas instalaciones cuentan con bar y un lugar específico para comer. En verano las piscinas abren al público, aproximadamente, entre las 10 de la mañana y las 7 de la tarde y en algunas se organizan actividades como cursos de natación. Los fines de semana es común que se junten un grupo de amigos o la familia y organicen un verdadero día de *picnic*, con bocadillos, patatas fritas, latas de bebidas, etc. Algunos de los que no se van también aprovechan para hacer reformas en su propia casa. Bastantes españoles se dedican al bricolaje en esta época. Vacaciones, pues, no siempre equivalen a descanso.

Si bien la forma más tradicional de pareja, el matrimonio, sigue siendo hoy por hoy la opción más común en España, las parejas de hecho son cada vez más habituales y aceptadas, no sólo por buena parte de la sociedad, sino también por políticos y legisladores. Los gobiernos de algunas comunidades autónomas están haciendo leyes para que en un futuro todas las parejas tengan los mismos derechos.

Asimismo, son cada vez más frecuentes los casos de españoles cuya opción es una vida independiente, sin pareja.

Según los datos de una encuesta realizada en 2000 por el Centro de Investigaciones Sociológicas a jóvenes de entre 15 y 29 años, el 88% están solteros, el 11%, casados y el 1%, separados o divorciados. De los que no están casados, el 43% mantienen una relación afectiva estable, el 10% mantienen una relación pasajera y el 46% no tienen ninguna relación afectiva de pareja.

16

La Pareja

1. Las parejas de derecho: matrimonio religioso y civil

Actualmente, la opción más común es casarse, ya sea por lo civil -en el Juzgado o en el Ayuntamiento- o por la Iglesia, formando así una pareja de derecho.

Los españoles ahora suelen casarse más tarde que antes. Los hombres se casan, de promedio, a los 30 años y las mujeres, a los 24. Entre matrimonios civiles y religiosos, en total se celebran al año unos 200.000 enlaces, lo que representa una proporción ligeramente inferior a la media de la Unión Europea. De los matrimonios que se celebran anualmente en España, alrededor de un 75% son religiosos y un 25%, civiles.

El matrimonio religioso ha sido la forma de convivencia generalizada durante la segunda mitad del siglo XIX y todo el siglo XX, de modo que actualmente se considera la opción más convencional y aún hoy más extendida entre la sociedad española. Desde los años ochenta, el porcentaje de los matrimonios religiosos ha experimentado una gradual disminución por la legalización de las uniones civiles, si bien es cierto que el matrimonio religioso sigue conservando una posición de privilegio frente a cualquier otra opción.

Es conveniente precisar que no todas las parejas que se casan por la Iglesia son católicas. A veces sólo uno de ellos es creyente y el otro, o bien no le da importancia, o bien cede y acepta un matrimonio religioso. Otras veces, ni el novio ni la novia son creyentes, pero la familia de uno de ellos o de los dos sí lo es y convencen a los novios para que se casen por la Iglesia. En otras ocasiones, ni la pareja ni la familia son católicos, pero consideran que una boda religiosa tiene más aceptación social que una boda civil y optan por la primera. De la misma manera, el hecho de que una pareja decida casarse por lo civil tampoco significa que no sea creyente. Dado que la Iglesia Católica sólo permite a una persona casarse una vez, cuando un creyente, después de divorciarse, desea casarse de nuevo, debe hacerlo por lo civil.

El 7 de julio de 1981 se legalizó en España el matrimonio civil, antes sólo era reconocido el matrimonio religioso.

Por lo que respecta al matrimonio civil entre personas del mismo sexo, la opinión española está dividida. Según una encuesta reciente realizada por el Ministerio de Trabajo y Asuntos Sociales a mayores de 18 años, aproximadamente el 53% están a favor y el 47% en contra. Entre los más jóvenes (18-29 años), el 75% están a favor y el 25%, en contra.

2. Las parejas de hecho

Otra opción común y cada vez más aceptada socialmente consiste en vivir juntos sin casarse, formando así una pareja de hecho. En ocasiones, se plantea esta situación como una etapa transitoria: vivir juntos para probar. Si funciona la convivencia, algunas parejas de hecho deciden casarse más adelante y otras prefieren seguir sin un vínculo matrimonial. Si, por el contrario, no funciona la convivencia y deciden separarse, los problemas legales se simplifican o incluso desaparecen.

Algunas parejas viven juntas y no desean casarse por diferentes motivos: consideran que todavía no ha llegado el momento adecuado, no creen en el matrimonio o desean una mayor libertad, entre otros. Sin embargo, para las personas que ya están casadas, la convivencia con su nueva pareja es la única alternativa, mientras transcurre el proceso de separación y divorcio.

Esta creciente aceptación de otras formas de convivencia en la sociedad española no significa un rechazo al matrimonio. Según las encuestas, todavía entre el 60% y el 70% de los jóvenes prefieren casarse por la Iglesia, alrededor del 15% prefieren un matrimonio civil y el resto prefieren unirse sin papeles. Con todo, el matrimonio civil es una opción creciente año tras año.

□ La Facultad de Derecho de la Universidad de Salamanca ha organizado estos días el II Curso sobre Matrimonio y Parejas de Hecho, con el objeto de analizar una situación que afecta a numerosos ciudadanos. Cataluña fue la primera Comunidad Autónoma en reconocer en 1998 este tipo de uniones, tanto heterosexuales como homosexuales. ■

(Adaptado de *Europa Press*, 14 de noviembre de 2001)

□ El Ayuntamiento de Antequera (Málaga) aprueba, por acuerdo de todos los partidos políticos, el reglamento del Registro Municipal de Uniones de Hecho. En este registro podrán inscribirse las uniones no matrimoniales de convivencia de parejas, incluso del mismo sexo, que vivan en el municipio. ■

(Adaptado de *Europa Press*, 9 de noviembre de 2001)

□ Según una reciente encuesta del Centro de Investigaciones Sociológicas (CIS), el 60% de la población considera positivo o muy positivo el aumento de las parejas que conviven sin haberse casado. Alrededor del 20% las rechazan y otro 20% las ven con indiferencia. ■

(Adaptado de *El País*, 17 de junio de 2001)

En todo el país se están tomando medidas para equiparar la situación legal de las parejas de hecho a la de las parejas de derecho.

☐ En las Juntas Generales de Álava se ha pedido hoy que en un plazo de tres meses se elaboren leyes para garantizar a las parejas de hecho -tanto de sexo distinto como del mismo sexo- los mismos derechos que tienen las parejas casadas.■

(Adaptado de *Europa Press*, 12 de noviembre de 2001)

☐ El pasado 11 de octubre la Asamblea de Madrid aprobó una Proposición de Ley de Parejas de Hecho que garantice la equiparación de derechos entre las uniones matrimoniales y las basadas en la convivencia estable y regular de dos personas. El presidente de la Comunidad Autónoma de Madrid anunció que antes de finales de año se aprobará esta ley. No obstante, señaló que algunos aspectos son competencia del Gobierno de la nación, por ejemplo, el derecho a adoptar un niño.■

(Adaptado de *Europa Press*, 15 de noviembre de 2001)

3. Solteros sin compromiso

En los últimos años se ha extendido entre los adultos españoles la opción de vivir solos. En efecto, un creciente número de mujeres y hombres deciden vivir sin pareja, manteniendo así una independencia económica y sentimental. Algunos siguen viviendo en el hogar familiar; otros se trasladan a su propio hogar y son totalmente independientes.

Las razones que los llevan a vivir solos varían en cada caso. Algunas son de tipo personal, por ejemplo, no creen en la pareja estable, aman la independencia, etc. Otras son de tipo profesional, por ejemplo: su carrera les exige mucho tiempo y consideran que es difícil mantener a la vez una relación estable, aunque pueden aceptar alguna relación de pareja más o menos esporádica. Sean cuales sean los motivos, esta opción no siempre es definitiva; con el transcurso del tiempo, pueden cambiar las circunstancias personales y profesionales y hay quien opta por alguna forma de pareja estable.

4. El divorcio

Desde 1981, el divorcio en España es legal. Si ambos cónyuges están de acuerdo, los trámites para divorciarse no son complicados, aunque suelen durar entre uno y dos años. La persona que solicita el divorcio no necesita dar muchas razones de por qué desea divorciarse; basta con alegar, por ejemplo, incompatibilidad de caracteres.

Cuando se legalizó, muchas parejas que ya estaban separadas lo pidieron. Por eso, los primeros años hubo un elevado número de solicitudes, que a los españoles más tradicionales les parecía alarmante, pues temían que el divorcio pudiera acabar con el matrimonio y con la familia como instituciones sociales. Pasada ya aquella primera etapa, han podido comprobar que sigue habiendo matrimonios y familias, aunque, eso sí, rara es la familia en la que no hay ningún divorciado. De hecho, el número de divorcios ha aumentado de forma constante desde la implantación de la ley, aunque a un ritmo lento.

□*Desde que, el 22 de junio de 1981, el Parlamento aprobara una ley polémica, más de un millón de matrimonios han acudido a los tribunales. Casi 700.000 han logrado la separación (paso imprescindible para el divorcio) y cerca de medio millón han obtenido el divorcio. Entre 1989 y 1999 las sentencias de separación o divorcio crecieron el 66%. El ritmo crece y ya ronda las 100.000 sentencias anuales. En la década de los años noventa, en España han aumentado los divorcios por cada mil habitantes, según Eurostat, la oficina europea de estadística. A pesar de todo, la tasa de divorcios en España representa sólo la mitad de la media de la UE.* ■

(Adaptado de *El País*, 17 de junio de 2001)

La pareja: ¿Qué piensa de estas afirmaciones?

Fuente: CIS, 1994

Religiones

La Constitución Española de 1978 configura un Estado democrático y pluralista y declara la libertad e igualdad religiosas como derechos fundamentales. En efecto, a diferencia de lo ocurrido en épocas pasadas, en la actualidad España es un país laico, es decir, el Estado español no reconoce ninguna religión como oficial. No obstante, la tradicional presencia de la Iglesia Católica se aprecia todavía en muchos ámbitos de la vida diaria de los españoles, forma parte de su tradición cultural y mantiene cierta influencia en algunos sectores como el de la educación. Según el Centro de Investigaciones sobre la Realidad Social (CIRES), de cada 100 españoles alrededor de 90 se declaran católicos, en torno al 1,5 dicen pertenecer a otra religión y 8 manifiestan no tener ninguna religión.

17

Religiones

1. Religión católica

La religión mayoritaria en España es la católica. La Iglesia Católica en España está organizada en 68 zonas, llamadas diócesis, que cuentan con un total de 22.964 parroquias, atendidas por unos 19.000 sacerdotes. El 94% de la población ha sido bautizada de acuerdo con los usos y costumbres de la Iglesia Católica; sin embargo, el porcentaje de católicos practicantes es algo inferior al 30%. Buena parte de los creyentes no comparten la postura tradicional de la Iglesia Católica en cuestiones éticas. En una encuesta patrocinada por el Ministerio de Trabajo y Asuntos Sociales, Instituto de la Juventud, publicada en 1997, un 45,54% de la población está a favor del aborto y un 92,24% aceptan sin reparos las relaciones prematrimoniales.

El hecho de que determinadas celebraciones católicas tales como bautizos, primeras comuniones, bodas o funerales, mantengan su vigencia en la sociedad española se debe, no tanto al componente estrictamente religioso de las ceremonias, sino, en buena medida, a que tales acontecimientos forman parte de la tradición y son más bien actos sociales en los que se inician o se consolidan relaciones con otras personas -familiares, amigos, conocidos...-. Ello explica, por ejemplo, que anualmente se celebren de promedio unos 300.000 bautizos y unas 150.000 bodas católicas.

Dentro de la tradición católica, una cuestión curiosa es lo que podríamos denominar la "especialidad" de cada santo. Por ejemplo: santa Bárbara es la patrona o protectora de los mineros; san Carlos Borromeo es el patrón de la banca; san Cristóbal, de los conductores; san Isidro, de los campesinos; san José, de los carpinteros; santa Lucía, de los ciegos; santo Tomás de Aquino de los universitarios, etc.

Una de las manifestaciones más peculiares de la vigencia de la religión en la vida diaria es su presencia en el lenguaje cotidiano. Lo mismo los creyentes que los no creyentes usan expresiones que tuvieron en su origen un sentido religioso, pero que en su uso actual ya están muy desligadas de aquel sentido original. Así, por ejemplo, en las despedidas se dice "¡Adiós!", una simplificación de la expresión "A Dios te encomiendo", y cuando alguien estornuda se acostumbra a decir "¡Jesús!" o "¡Salud!", simplemente como muestras de educación o de cortesía.

☐ ESTO VA A MISA
[Expr.] Ser indiscutiblemente verdadero lo que se dice.■

☐ NO SABER DE LA MISA LA MITAD
[Expr.] Ignorar muchos detalles de un asunto.■

☐ A LA BUENA DE DIOS
[Expr.] Sin preparación, al azar.■

☐ ¡BENDITO SEA DIOS!
Expr. con que se denota enfado, y también conformidad en un contratiempo.■

(Ejemplos significativos extraídos del *Diccionario de la Real Academia Española*, 2001)

2. Otras religiones cristianas

Además de la religión católica, en el territorio nacional están presentes otras religiones cristianas.

Aproximadamente unos 200.000 españoles han optado por alguna de las iglesias evangélicas: Iglesia Evangélica Bautista, Iglesia Evangélica Pentecostal, Iglesia de Filadelfia, Testigos de Jehová, Iglesia de Jesucristo de los Santos de los Últimos Días (Mormones)...

☐ ¡DIOS MÍO!
  Expr. que, usada como interjección, sirve para significar admiración, extrañeza, dolor o sobresalto. ■

☐ HACER ALGO COMO DIOS MANDA
  [Loc. fam.] Hacer las cosas bien; con exactitud y acierto. ■

☐ POR DIOS
  Expr. usada para pedir limosna, o esforzar una súplica cualquiera. ■

☐ ¡VAYA POR DIOS!
  Loc. interj. con que se expresan normalmente decepción y desagra-o. ■

3. Religiones no cristianas

En España existen algunas comunidades de otras religiones no cristianas. Las más representativas son el islamismo y el judaísmo.

Los musulmanes reconocidos oficialmente en España son unos 250.000. Sin embargo, según el Centro para el Diálogo Islamo-Cristiano *Darak-Nyumba*, el número real, incluyendo los inmigrantes clandestinos, es prácticamente el doble. Ese considerable y creciente número de practicantes explica que haya repartidas por el país unas cuantas mezquitas y más de un centenar de salas de oración. De entre todas ellas, destacan dos grandes mezquitas en Madrid, una en Valencia, otra en Marbella, otra en Fuengirola, una en Barcelona y otra en construcción en Granada. Asimismo, el islam tiene una presencia importante en los ámbitos culturales de determinadas zonas del país. Córdoba, por ejemplo, alberga tres destacados centros de divulgación del islam: la Universidad Islámica Averroes, el Centro de Documentación y Publicaciones y la Torre de Calahorra.

La religión judía, por su parte, cuenta con una tradición milenaria en España. En la actualidad se calcula que hay en el país unos 15.000 judíos de distintas comunidades agrupadas en la Federación de Comunidades Israelitas en España.

Desde hace unos cuantos años también se viene apreciando en España un interés creciente por la filosofía oriental, en general, y por las religiones orientales, en particular. Determinados sectores de la población -hoy por hoy, muy minoritarios- ponen la mirada en religiones orientales como el budismo, el taoísmo, el sintoísmo o el hinduismo, así como en formas de ejercitar al unísono la mente y el cuerpo -yoga, taichi, etc-. En la actualidad ya hay centros budistas en varias ciudades de España: Madrid, Valencia, Menorca, Gerona, Huesca, Zaragoza, Tenerife... El más importante es la Casa del Tíbet de Barcelona.

Saludos y despedidas

Hay varias maneras de saludar y de despedirse: sólo de palabra, dando la mano, un abrazo, un beso... El empleo de una u otra depende de la relación y el grado de confianza entre las personas, así como de la situación -formal o informal- en que se encuentran.

18

1) Saludos formales e informales

2) Darse la mano y abrazarse

3) La costumbre del beso

Saludos y despedidas

1. Saludos formales e informales

Conviene saber distinguir entre saludos formales e informales. "¡Buenos días!", "¡Buenas tardes!" y "¡Buenas noches!" son saludos formales que se usan tanto al encontrarse con alguien como al despedirse. "¡Ey!", "¿Qué hay?", "¿Qué pasa?" son saludos informales que se utilizan sólo cuando las personas se encuentran, no como despedidas. "¡Buenas!" podemos considerarlo como un saludo semiformal. "¿Qué tal?" y "¡Hola!" son más bien informales, pero también se emplean en contextos formales. En cuanto a las despedidas, "¡Adiós!" puede encajar en prácticamente cualquier contexto. En situaciones informales son frecuentes fórmulas como "¡Hasta luego!", "¡Que vaya bien!" y "¡Nos vemos!".

En las zonas rurales la gente está tan acostumbrada a saludar a todo el mundo que también suelen hacerlo con los desconocidos y esperan que éstos respondan al saludo. La gente de ciudad no tiene esa costumbre. Sin embargo, cambia sus hábitos en determinadas circunstancias: cuando se va por carretera en moto, se suele saludar a otros motoristas; los aficionados al ciclismo suelen saludar a cualquier ciclista que se encuentran en carretera; cuando se va al bosque a pasear o a correr, también se suele saludar a las personas con las que uno se cruza. La forma concreta de saludar puede ser sólo verbal - "¡Hola!", "¡Adiós!", "¡Buenos días!"...- sólo gestual -levantando la mano, las cejas, sonriendo...- o combinando palabras y gestos.

2. Darse la mano y abrazarse

Cuando se presentan dos hombres, lo más frecuente es que se den la mano. En una situación formal, un hombre y una mujer también se suelen dar la mano.

Dependiendo de a quién se le dé la mano y también de la situación, es normal apretar más o menos: no es lo mismo cuando un señor saluda a un conocido de toda la vida, donde el apretón puede ser fuerte, que cuando saluda a un cliente de su empresa o cuando le presentan a una mujer.

Independientemente de las circunstancias, en una situación formal se observan una serie de normas generales:

- se da siempre la mano derecha;

• se quita el guante de esa mano antes de saludar;

• si un hombre está sentado, se levanta para saludar, mientras que si se trata de una mujer, no es necesario.

Cuando se encuentran, por ejemplo, dos amigos o dos compañeros de trabajo o de estudios es normal que se den unas palmadas en la espalda, gesto muy característico.

En cuanto a la costumbre del abrazo, este se reserva para los buenos amigos, para los familiares y, claro está, para la pareja. Así, no es normal abrazar a alguien cuando nos lo presentan.

3. La costumbre del beso

Es común entre un chico y una chica, así como entre dos chicas, incluso cuando acaban de conocerse, darse dos besos, uno en cada mejilla, de derecha a izquierda. Lo más corriente es que esos besos se den prácticamente al aire, sin apoyar los labios en las mejillas, y al tiempo que se dan los besos, es común apoyar levemente una mano en el hombro de la otra persona. La persona que presenta a dos desconocidos entre sí puede tocar el hombro o la espalda de la persona que está presentando en ese momento; en una situación formal no se llega a tocar, pero es común hacer el gesto como si se fuera a tocar y también se señala con la palma de la mano a cada uno de los presentados.

Es frecuente que los padres y los hijos, lo mismo que los abuelos y los nietos, se besen en una o en ambas mejillas antes de acostarse y al levantarse, así como en otros momentos del día, por ejemplo, antes de ir al colegio o al regresar a casa.

Los hombres normalmente no suelen besarse entre sí, a no ser que sean familiares. Los besos se sustituyen en este caso por palmadas en la espalda.

A diferencia de otros países de su entorno, en España no existe una única entidad que agrupe los servicios de correos, telégrafos y teléfonos; los dos primeros y el último se gestionan por separado. De todos modos, como en cualquier sociedad moderna, también en España estos servicios están experimentando cambios sustanciales en los últimos años. Por una parte, se está incrementando la oferta, ya que cada vez son más las empresas nacionales e internacionales de mensajería, telefonía, etc., que compiten en el territorio nacional. Por otra parte, se están diversificando los servicios, en buena medida, gracias a las nuevas tecnologías. El principal beneficio que le reportan estos cambios al consumidor es una mejora tanto en calidad como en tarifas.

CORREO

19

Servicios

entre otros, con opciones entre la más económica y la más urgente, a las más modernas aplicaciones tecnológicas, como Correos *on line*.

1. Correos

Correos es una sociedad estatal proveedora de servicios postales, de telecomunicación y financieros. Esta entidad viene experimentando una notable evolución en los últimos años, ofreciendo una gama de productos cada vez más amplia. En la actualidad, se estructura principalmente en tres direcciones: Paquetería Exprés, mediante la creación de una empresa propia, Chronoexpres; Servicios Bancarios, prestados a través del acuerdo con el Deutsche Bank y Establecimientos Postales que ofertan no sólo una gran variedad de servicios propiamente postales, sino también de telecomunicaciones, envío de dinero mediante el acuerdo con Western Unión, etc. Además, se han creado nuevas oficinas Postal Transfer, especializadas en servicios dirigidos a los inmigrantes.

Correos ofrece más de 50 productos y servicios, desde los tracionales como la carta, la paquetería o el envío de dinero,

☐ *En Correos el tráfico postal diario alcanza los 25 millones de envíos. Más de 10.000 puntos de atención al público entre oficinas, sucursales y carterías rurales le permiten estar presente en todo el territorio nacional, llegando a más de 17 millones de hogares y dos millones de empresas. Durante el 2002 se hizo cargo de 5.324 millones de envíos postales.*■

(Adaptado de www.correos.es)

El mejor punto de vista

Embalajes
...la solución más natural y segura

Prefranqueados
Sobre Prefranqueado y
Prepagado Postal Exprés

Envíos Urgentes
...en tiempo récord
Postal Exprés y
Carta Urgente

Certificados
...déjelo en nuestras manos
Carta Certificada y Urgente

Para saber exactamente cuál es la opción más adecuada para cada caso concreto, se puede ir a una de sus oficinas y pedir una *Guía de productos y servicios*, o bien consultar su página en la Red (www.correos.es). Estos son algunos de los productos más comunes:

• Urgentes: Postal Exprés, Carta Urgente, Valijas y Carta Certificada Urgente.

• Básicos: Carta / Tarjeta Postal y Carta Certificada.

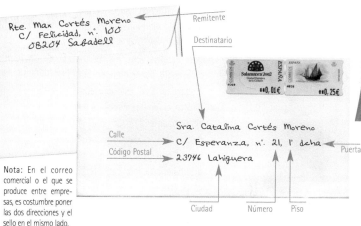

Rte. Max Cortés Moreno
C/ Felicidad, n°. 100
08204 Sabadell

Remitente

Destinatario

**0,01€   **0,25€

Calle

Código Postal

Sra. Catalina Cortés Moreno
C/ Esperanza, n°. 21, 1° dcha
23746 Lahiguera

Puerta

Ciudad   Número   Piso

Nota: En el correo comercial o el que se produce entre empresas, es costumbre poner las dos direcciones y el sello en el mismo lado.

ww.correos.es
902 197 197

• Paqueteria: Paquete Azul y Paquete Internacional.

• Empresariales: Publicorreo, Paquete Postal, Libros, Periódicos, Apartado Postal, Franqueo en Destino e Información Postal.

• Financieros: Giro Ordinario, Giro Urgente, Eurogiro y Dinero en Minutos.

• Telecomunicaciones: Telegrama, Télex y Fax / Burofax.

• Otros: Prefranqueados, Embalajes, Reenvío Postal y Apartado Postal.

Los diferentes envíos se pueden realizar de distintas formas:

• Contra reembolso. El destinatario deberá pagar para recoger el envío; después el remitente cobrará el importe del mismo.

• Certificado. El envío se registra y se garantiza que el destinatario lo reciba bajo firma.

• Certificado con acuse de recibo. Si el remitente quiere asegurarse de que el destinatario efectivamente ha recibido el envío, puede escoger esta modalidad. Con este procedimiento, el remitente recibirá un comprobante firmado por el destinatario, es decir, un documento que demuestra que el destinatario tiene el paquete, la carta, etc.

En una oficina de Correos también podemos comprar sellos, así como sobres y cajas de varios tipos y tamaños para envíos por correo.

2. Teléfonos

En el 95,5% de los hogares españoles hay teléfono: un aparato principal y algún supletorio. Además de los teléfonos fijos, el 73,5% de los españoles utiliza un teléfono móvil. También existe un gran número de teléfonos públicos en bares, restaurantes, hoteles, centros comerciales y en cabinas telefónicas. Generalmente funcionan o bien con monedas o bien con tarjetas telefónicas. Éstas se pueden comprar en estancos, oficinas de Correos y en algunos quioscos.

Por último, hay que mencionar los locutorios, que son unos establecimientos equipados con una serie de teléfonos públicos. En un locutorio hay varias cabinas. El cliente entra en una y habla por teléfono; cuando termina, el empleado le cobra. Se suelen utilizar más para llamadas internacionales.

Durante muchos años la empresa Telefónica tuvo el monopolio de las comunicaciones telefónicas en España, pero ahora los usuarios ya pueden escoger entre varias compañías, tanto de telefonía fija -Aló, BT Telecomunicaciones, Jazztel, Menta, Olá Internet, Retevisión, Sinpletel, Uni2...- como de telefo-

nía móvil -Vodafone, Amena (Retevisión Móvil)...-. Cada compañía ofrece a los clientes una serie de ofertas -plan provincial, plan mañana, plan tarde, plan sin horarios...-, para que cada uno elija la más conveniente a sus necesidades. Gracias a esa creciente competencia nacional e internacional hay una gama más amplia de servicios y, no menos importante, han bajado las tarifas, tanto de los teléfonos fijos como de los móviles.

De todos modos, la inmensa mayoría de los servicios de telefonía fija y el 56,35% de los de telefonía móvil siguen estando en manos de Telefónica. Según datos del propio Grupo Telefónica, la empresa Telefónica de España, S.A. tiene en servicio 21.100.500 líneas de telefonía fija y Telefónica, Servicios Móviles de España, S.A. tiene 17.135.000 clientes, de un total de 30.700.000 clientes que hay en el país.

La telefonía móvil ha experimentado un inusitado auge en España en muy pocos años, hasta el punto de convertirse en un auténtico fenómeno social que ha modificado hábitos cotidianos. Mientras en 1995 sólo uno de cada cuarenta españoles tenía móvil, en 2001 ya era uno de cada dos, y en la actualidad, los usuarios ya son el 73,5%. Según un estudio realizado por la Fundación Encuentro, un 55% de ellos son jóvenes de entre 16 y 29 años.

La utilización del móvil no se limita a llamadas de voz. Los mensajes cortos escritos también son cada vez mas frecuentes, principalmente, entre los jóvenes. Se calcula que de promedio cada abonado envía un mensaje al día.

La Constitución Española garantiza un sistema de sanidad pública gratuita.

El 1 de enero de 2002, tras varios años de trabajo, concluyó el proceso de descentralización. Desde entonces cada una de las 17 Comunidades Autónomas tiene su propio Servicio Autonómico de Salud, todos ellos coordinados por el Ministerio de Sanidad y Consumo. La Seguridad Social, adscrita al Ministerio de Trabajo y Asuntos Sociales, ya cuenta con más de 100 años de historia en España y en la actualidad da cobertura a, prácticamente, toda la población.

En España hay 4,4 médicos por cada 1.000 habitantes, más que en la mayoría de países de la Unión Europea: en Alemania, por ejemplo, la proporción es de 3,5‰ y en Francia y Dinamarca, 3‰. Por el contrario, la proporción de camas hospitalarias que hay repartidas por los 800 hospitales del país -alrededor de 4 por cada mil habitantes- es inferior a la de otros países comunitarios: 9,1‰ en Francia, 7,5‰ en Alemania y 5‰ en Dinamarca.

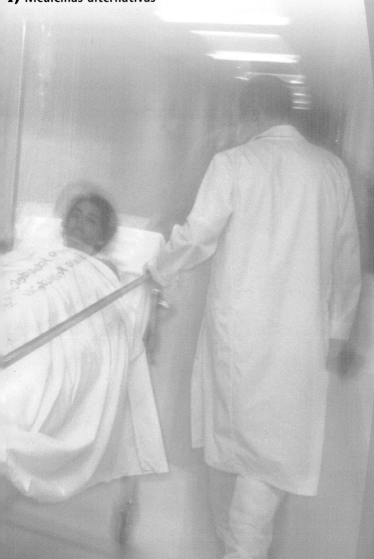

Sistema sanitario

ta, el médico hace un diagnóstico y receta algún medicamento. A veces, antes del diagnóstico, le da un volante al paciente para realizar en la sección que corresponda alguna prueba analítica. Si lo estima conveniente, puede enviarlo directamente a un especialista: oftalmólogo, dermatólogo, etc.

En algunos casos, los pacientes pueden elegir, dentro del ambulatorio que les corresponda, a un médico de cabecera concreto, pero no a los especialistas. Además de médicos de cabecera y enfermeros o ATS, en un ambulatorio puede haber algún asistente social. A los asistentes sociales los contrata

1. Red de ambulatorios

Además de los hospitales, los centros habituales de asistencia son los llamados "ambulatorios" o Centros de Asistencia Primaria (CAP) del barrio o del pueblo. A cada ciudadano se le asigna uno en función de su lugar de residencia. Antes de acudir a la consulta del médico de cabecera o médico de familia en el ambulatorio, se debe pedir cita, ya sea en persona o bien por teléfono. Una vez en la consul-

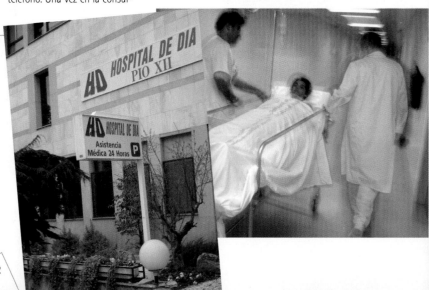

El horario varía de un ambulatorio a otro. En los grandes ambulatorios de las ciudades trabajan varios médicos y pueden estar abiertos todo el día (8:00-20:00) de lunes a viernes. En los ambulatorios rurales, unos 3.200 repartidos por todo el territorio, normalmente sólo visita un médico y el horario es más limitado.

Los sábados en los ambulatorios sólo hay servicio de urgencias. De todos modos, en los hospitales este servicio es permanente, es decir, 24 horas al día. Para aquellos enfermos que no pueden desplazarse al ambulatorio, hay un servicio de atención domiciliaria.

el ayuntamiento y su función básica es ayudar a personas con problemas sociales y económicos, asesorándolos y haciendo las gestiones necesarias para mejorar su calidad de vida.

2. Gastos sanitarios

En la sanidad pública (Seguridad Social) el único gasto directo del enfermo es el 40% de los medicamentos que adquiere en la farmacia con las recetas que le da el médico. Para los pensionistas y algunos enfermos, como los que padecen enfermedades crónicas, los medicamentos son gratuitos.

En total, España dedica más del 20% del Producto Interior Bruto (PIB) a gastos de protección social, entre los que se incluyen pensiones a jubilados e incapacitados, subsidios de desempleo, asistencia sanitaria,

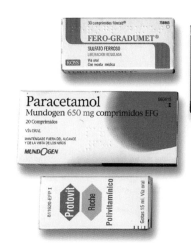

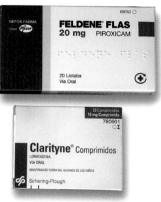

3. Los ciudadanos ante el sistema sanitario

etc. Sólo en sanidad, España gasta alrededor del 7% del PIB. El 80% de todo ese dinero se recauda a través de impuestos, el 20% restante corresponde al seguro obligatorio que pagan los empleados y los empresarios cada mes.

En los últimos años los gastos sanitarios han aumentado considerablemente. Las principales razones de este aumento son dos. Por un lado, el envejecimiento de la población plantea un problema económico doble: los gastos aumentan a un ritmo mayor que los ingresos. El número de jubilados no ha dejado de crecer desde los años ochenta, mientras que el número de afiliados a la Seguridad Social, es decir, contribuyentes al sistema, crece más lentamente. Por otro, el equipamiento de los ambulatorios y hospitales es cada vez más complejo y más caro.

Para averiguar la opinión de los españoles sobre la sanidad pública en España, el Ministerio de Sanidad y Consumo realiza periódicamente unas encuestas, denominadas "Barómetros Sanitarios", según las cuales la mayoría de los españoles están descontentos con el Sistema Nacional de Sanidad, principalmente, por estas razones:

• Los médicos de cabecera no tienen tiempo para atenderlos debidamente.

• Tienen que esperar varias semanas para que los visite un especialista.

• Tienen que esperar varios meses para que los operen.

A raíz de ese descontento, muchos españoles optan por hacerse un seguro privado, es decir, hacerse socios de alguna clínica, mutua de seguros o de

cualquier otra empresa de asistencia sanitaria. Ello supone un gasto extra, porque tienen que seguir cotizando también en la Seguridad Social.

El Gobierno central y los gobiernos autonómicos hacen campañas de información ciudadana sobre la salud en general y sobre problemas puntuales, tanto a través de los medios de comunicación generales -televisión, radio, prensa...- como en publicaciones gratuitas que se ponen a disposición de los ciudadanos en oficinas públicas y centros de asistencia.

4. Medicinas alternativas

En España son cada vez más aceptadas las denominadas "medicinas alternativas" como la medicina naturista, la homeopatía o la acupuntura, entre otras. Algunos las prefieren porque las consideran más naturales, otros dicen "haber perdido la fe" en la medicina convencional y buscan otro remedio. También hay quien acude a curanderos que, sin ser médicos, ejercen prácticas curativas utilizando procedimientos naturales o, en algunos casos, supuestamente mágicos.

Para pequeñas molestias -un poco de tos, un simple dolor de cabeza, etc.- hay quien, en lugar de ir al médico, prefiere ir directamente a la farmacia y pedirle al farmacéutico algún remedio sencillo. Hay unas 18.000 farmacias y unos 47.000 farmacéuticos en todo el país. Otra posibilidad es ir a un herbolario en busca de alguna planta medicinal o algún preparado.

Las supersticiones son creencias ancestrales que están presentes en el inconsciente colectivo de cualquier sociedad. Se transmiten de generación en generación y forman parte del bagaje cultural de los pueblos. Algunas supersticiones parecen dictadas por la lógica: si se pasa por debajo de una escalera hay más posibilidades de que se caiga algo que si se pasa sorteándola; otras, carecen de una justificación plausible y razonable. No obstante, permanecen en el tiempo y caracterizan, en cierta manera, a una sociedad.

Las supersticiones españolas proceden en su mayoría de las griegas y las latinas. Los musulmanes, que estuvieron ocho siglos en la Península, también nos dejaron su legado.

1) Trae mala suerte

El martes y trece • Derramar sal • Pasar por debajo de una escalera •
El gato negro • El espejo roto • Abrir el paraguas en un lugar cerrado

2) Trae buena suerte

Tocar madera • Ver una estrella fugaz • Algo viejo, algo prestado, algo azul

Supersticiones

1. Trae mala suerte

El martes y trece

Desde tiempos remotos el número trece ha sido fatídico, según la creencia de la muerte violenta de varios dioses decimoterceros de la Antigüedad y también por la suerte que corrió el decimotercer comensal en la Última Cena.

En algunos países el día de la mala suerte es el viernes trece, en otros, como en España, el martes y trece.

Derramar sal

La sal se emplea desde las culturas primitivas para la conservación de los alimentos, para purificar el agua y para dar más sabor a las comidas: era un producto muy costoso y apreciado en la Antigüedad. Además, la sal se relaciona etimológicamente con el salario: desperdiciarlo se identifica por ello con el despilfarro y la corrupción.

Es práctica frecuente cuando se derrama un salero lanzar un pellizco de sal por encima del hombro izquierdo para evitar la mala suerte.

Pasar por debajo de una escalera

Si se pasa por debajo de una escalera, se podría romper el triángulo "mágico" formado por la pared, el suelo y la pro-pia escalera y así traer la mala suerte. Esta es una de las muchas explicaciones a una superstición bastante extendida.

El gato negro

Para ciertas personas cruzarse con un gato negro es presagio de alguna desgracia. El origen de esta superstición se remonta probablemente a la Edad Media.

□Son signos de mala suerte: los gatos negros, las arañas negras, las tijeras abiertas, 13 personas sentadas a la mesa, un cuadro torcido...

Si se le da vueltas a un paraguas abierto dentro de la casa, ocasionará olvidos y distracciones. Si se deja el pan boca abajo en la mesa, las almas sufrirán...■

(Adaptado de VINYOLES, C. 1988. *Màgiques, pors i supersticions.* Diputación de Gerona)

13 MAYO
Martes

Fátima

Semana 20
Días 133-232

Fiesta en la ciudad de Valladolid

16 mayo ○
7 h 01 m
21 h 22 m

El espejo roto

El espejo roto es presagio de infortunios para ciertas personas: se dice que quien lo rompe tendrá siete años de mala suerte. Según las antiguas creencias, romper el espejo era considerado como dañar el alma. La referencia a los siete años se debe a la creencia de que para el hombre representaba un ciclo de vida completo.

Abrir el paraguas en un lugar cerrado

Para algunas personas abrir el paraguas en un lugar cerrado es una señal de mala suerte, ya que puede traer males venideros. Esta superstición proviene de Oriente: en China los paraguas llegaron a ser objetos de culto solar; si se abrían sin la presencia del sol, equivalía a profanación.

2. Trae buena suerte

Tocar madera

Cuando se hace alusión a algún mal o desgracia, hay quien toca madera para conjurar tales adversidades. En la Antigüedad los árboles eran considerados como la morada de los dioses, tocarlos o tocar madera servía para apaciguar o alejar a los malos espíritus. Para los cristianos la cruz de madera era un símbolo de protección contra todo tipo de males.

Ver una estrella fugaz

Cuando se ve una estrella fugaz, se suele pedir un deseo. La explicación de esta creencia se basa probablemente en lo inusual del hecho en sí. En la Antigüedad se creía que cada estrella era el alma de una persona.

Algo viejo, algo prestado, algo azul

Es tradición que la novia en su boda lleve algo viejo, algo prestado y algo azul. Algo viejo es símbolo de buena suerte, algo prestado, porque se cree que la buena suerte se puede transmitir de persona a persona mediante algún objeto y algo azul celeste, porque este color representa la felicidad y la confianza.

☐ La superstición es común entre el pueblo y está mezclada o relacionada con la tradición, con lo sobrenatural y fantástico.

Las supersticiones son creencias y prácticas heredadas de los tiempos del paganismo, tales como la magia, la adivinación, la astrología y ciertas prácticas curativas. Ahora bien, dentro del cristianismo también surgieron supersticiones relacionadas con el culto a Dios, la Virgen o los santos.■

(Adaptado de MORETA LARA, M. A. & F. ÁLVAREZ CURIEL. 1992. Supersticiones populares andaluzas. Arguval)

Tiendas y comercio

En España, al igual que en otros muchos países del mundo, el abanico de tiendas y comercios cubre casi cualquier necesidad que pueda tener el consumidor. Actualmente, la oferta de productos y servicios es cada vez más amplia y no se limita a la producción nacional.

Tiendas y comercio

141

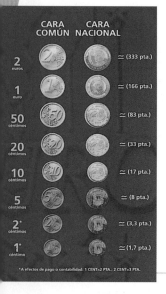

CARA COMÚN	CARA NACIONAL	
2 euros		≃ (333 pta.)
1 euro		≃ (166 pta.)
50 céntimos		≃ (83 pta.)
20 céntimos		≃ (33 pta.)
10 céntimos		≃ (17 pta.)
5 céntimos		≃ (8 pta.)
2* céntimos		≃ (3,3 pta.)
1* céntimo		≃ (1,7 pta.)

*A efectos de pago o contabilidad: 1 CENT=2 PTA.; 2 CENT=3 PTA.

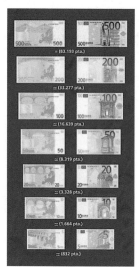

= (83.193 pta.)
= (33.277 pta.)
= (16.639 pta.)
= (8.319 pta.)
= (3.328 pta.)
= (1.664 pta.)
= (832 pta.)

Nota: Desde el año 2002 en España se usa la nueva moneda de la Unión Europea, el euro. Ahora existen monedas de 1, 2, 5, 10, 20 y 50 céntimos, 1 euro y 2 euros y billetes de 5, 10, 20, 50, 100, 200 y 500 euros. Los euros se pueden comprar en las oficinas de cambio, en los bancos, en las cajas de ahorros e incluso en algunos hoteles y agencias de viajes.

1. Los mercados y mercadillos

Un mercado suele ser un edificio en el que hay una serie de puestos o tiendas, principalmente de alimentación: pescadería, carnicería, charcutería, verdulería... Los productos que se venden normalmente son frescos y los precios, muy asequibles. Los mercados están abiertos de lunes a sábado: entre semana abren por la mañana y por la tarde -horario partido- y el sábado sólo por la mañana.

A diferencia de los mercados, los mercadillos suelen estar al aire libre. Los vendedores montan y desmontan cada día sus puestos.

☐EL RASTRO

Es uno de los símbolos emblemáticos de Madrid. A primeras horas de la mañana los comerciantes instalan sus puestos. Sobre las 9:00 o las 10:00 llegan los clientes más madrugadores. El Rastro se dispersa por diferentes zonas:

- En la calle Ribera de Curtidores: puestos de artesanía, ropa hecha a mano...

- En la Plaza del General Vara del Rey: chaquetas de pana y cuero, muebles...

- En la calle Rodas y en las Galerías Piquer, en Ribera de Curtidores: antigüedades.

- En la explanada del Campillo, herramientas, telas y pieles, discos, y revistas.■

(Adaptado de www.softdoc.es)

A lo largo de las últimas décadas han ido surgiendo en España nuevos tipos de grandes establecimientos comerciales: grandes almacenes, hipermercados o grandes superficies y centros comerciales. Este fenómeno es, en general, bien visto por los consumidores, a quienes se les ofrece un horario cada vez más amplio para poder comprar y a precios cada vez más competitivos. Para las tradicionales tiendas familiares y pequeños supermercados, por el contrario, el fenómeno es preocupante, dado que la dura competencia de las grandes empresas del sector, tanto en horarios como en precios, ha llevado a pequeños comerciantes a cerrar sus negocios. Para poder competir con las grandes superficies, la mayoría de los pequeños y medianos comerciantes se han visto obligados a agruparse en cadenas de supermercados.

En algunos mercadillos también se venden frutas y verduras; en otros, ropa, zapatos, flores, artículos de cocina... En cada pueblo y en cada barrio de muchas ciudades hay mercadillo una vez por semana, siempre el mismo día. En algunas ciudades es típico poner los domingos un mercadillo de libros, objetos de segunda mano, antigüedades y demás objetos de coleccionistas: sellos, monedas, cromos, etc. Dos famosos mercadillos son El Rastro de Madrid y Los Encantes de Barcelona.

Por último, están las ferias que se celebran en determinadas fiestas y en las que también se ponen mercadillos, por ejemplo, de productos naturales como el queso, los embutidos... o de figuras para el belén o pesebre y artículos navideños en general.

En lugar de hacer la compra diaria en los mercados tradicionales, algunos consumidores prefieren acudir a los supermercados, ya que les resulta más cómodo comprarlo todo en un único establecimiento, en lugar de tener que ir de puesto en puesto del mercado comprando por separado la carne, el pesca-

☐ *En el mercado tradicional, el de "al peso", se compran productos frescos por kilos o piezas, verduras y frutas, carnes, aves y pescados, quesos y fiambres. En el centro de Madrid hay varios:*

● La Paz (Ayala, 28). Excelente calidad en casi todas las tiendas. Productos especiales.

● Los Mostenses (Pza. de los Mostenses). Productos de la cocina oriental, mexicana, sudamericana.

● Maravillas (Bravo Murillo, 122). Dicen que es el más grande y de mejores precios.∎

(Adaptado de www.softdoc.es)

do, las legumbres, la fruta y la verdura. Sin embargo, sigue habiendo quienes optan por la forma tradicional, por considerar que el mayor tiempo empleado queda compensado con los productos frescos y de calidad que le ofrecen las diferentes tiendas del mercado. Se establece, pues, una cierta competencia entre los supermercados y los mercados. Para atraer a la clientela, una de las estrategias de algunos supermercados es ofrecer un servicio de reparto a domicilio, ya sea gratuito o bien pagando un suplemento.

2. Las grandes superficies

Dentro de las grandes superficies hay que mencionar los grandes almacenes, locales comerciales, generalmente de varias plantas, situados en zonas céntricas de las ciudades. Tienen horario continuo y abren algunos domingos. Algunos de ellos tienen horarios especiales; por ejemplo, los hay que abren cada domingo y otros que permanecen abiertos hasta las 3 de la mañana, depende de las diferentes comunidades autónomas. Los productos y servicios que se pueden encontrar en ellos son cada vez más variados: alimentación, deportes, juguetes, libros, música, vídeos, informática, fotografía, telefonía móvil, coches, electrodomésticos, cafetería, cambio de divisas, viajes, seguros...

Los centros comerciales son espacios comerciales en los que se agrupan varios establecimientos de muy diversos tipos. La mayoría tienen horario continuo: abren a las 10:00 y cierran entre las 21:00 y las 22:00.

3. Comercios tradicionales

Las droguerías

En estos establecimientos se pueden comprar productos de limpieza, insecticidas, pinturas, etc. Frecuentemente, las droguerías son también perfumerías, por lo que en ellas se encuentra, además, todo tipo de productos de belleza y de higiene personal.

Las peluquerías

El nombre de la peluquería está relacionado con el pelo: es un establecimiento donde el peluquero o la peluquera cortan el pelo, hacen peinados de varios estilos, la permanente, etc.

Antes, había peluquerías para mujeres y para hombres, actualmente muchas son unisex. Algunas peluquerías son prácticamente como salones de belleza: tienen cabinas de rayos ultravioleta, ofrecen servicio de manicura, de depilación...

Las farmacias

En una farmacia se pueden adquirir, fundamentalmente, medicamentos. Algunos sólo los venden si previamente el médico lo ha autorizado mediante una receta médica. Para otros productos como, por ejemplo, las aspirinas, las pastillas para la tos,

o los productos de primeros auxilios no se precisa ningún tipo de receta. Asimismo, se pueden adquirir productos infantiles o de higiene personal. Algunas farmacias también ofrecen otros servicios, como tomar la tensión o hacer la prueba del embarazo. Cuando uno tiene alguna ligera molestia, es común acudir a la farmacia y pedirle al farmacéutico algún remedio.

Los estancos

Los estancos venden, preferentemente, tabaco. Asimismo, se pueden encontrar artículos para fumadores, artículos relacionados con el correo postal o tarjetas de teléfono, objetos de regalo, tarjetas de aparcamiento y golosinas.

Los quioscos

Los quioscos suministran periódicos y revistas; también, postales, bolígrafos, juguetes y golosinas.

Las tiendas de todo a 100

Hace unos cuantos años apareció en España el fenómeno "todo a 100": unos establecimientos que hoy son ya muy populares y que se conocen como "las tiendas de todo a 100". Son una especie de bazares donde se pueden comprar artículos de regalo, de escritorio, de juguetería o para el hogar a precios muy competitivos: muchos de ellos sólo cuestan 1 ó 2 euros o incluso 0,60 céntimos de euro.

Las tiendas típicas y especializadas

Existen establecimientos especializados en determinados productos o artículos, algunos de ellos, difíciles de encontrar en los locales comerciales comunes.

☐ TIENDAS ESPECIALIZADAS EN MADRID

Casa Postal *(Libertad, 37). 500.000 postales distintas, rótulos y carteles antiguos.*

Hidalgo *(Ribera de Curtidores, 29). Antigüedades: plumas estilográficas, molinillos...*

Cántaro *(Flor Baja, 8). Cerámica española; realizan encargos personalizados.*

Capas Seseña *(Cruz, 23). Desde que Cela la llevó cuando recibió el Nobel, la capa española está en alza.*

Manuel Contreras *(Mayor, 80). Guitarras, modelos básicos y piezas de concertista.*

Casa de Diego, *desde 1858 (Puerta del Sol, 12). Mantones, mantillas, velos y peinetas.*

Vicente Rico *(Conde de Aranda, 3). Disfraces, pelucas, artículos de broma.*■

(Adaptado de www.softdoc.es)

4. Las rebajas

Hay dos épocas al año en las que gran parte de los establecimientos comerciales venden sus productos más baratos: son las célebres rebajas. Muchos establecimientos que comercian con artículos que pasan de moda, principalmente, ropa y calzado, hacen rebajas en enero y en julio; algunos, especialmente los grandes almacenes, también en primavera y en otoño.

5. ¿Qué es "pedir la vez" en una tienda?

Cuando uno entra a una tienda o a cualquier otro establecimiento público y hay varias personas esperando a que las atiendan, es decir, haciendo cola, debe pedir la vez, preguntando: "¿Quién es el último, por favor?" o "¿El último, por favor?". Muchas personas mayores contestan: "Servidor" o "Servidora". Esa vieja costumbre va dejando paso a la forma más actual de responder sencillamente: "Yo". Aparte de ese sistema tradicional de pedir y dar la vez, existe otro sistema cada vez más extendido: al entrar en el establecimiento uno toma de una máquina una papeleta con un número y después espera a que ese número aparezca en una pantalla.

6. ¿En España se regatea?

"Regatear" significa negociar el precio de algo: el comprador hace lo posible para rebajarlo al máximo, y el vendedor hace lo mismo para rebajarlo lo menos posible. De todas formas, no en todos los casos es correcto regatear. Es normal cuando se trata de algo de segunda mano: una vivienda, un vehículo, un ordenador, una antigüedad, etc. También es común en determinados puestos de los mercadillos o en algunas tiendas familiares. Por el contrario, no es normal regatear en un supermercado, en un hipermercado o en unos grandes almacenes.

Llamamos "economía doméstica" a la economía familiar, es decir, al grado de riqueza y bienestar de las familias españolas. Uno de los índices que mejor reflejan ese desarrollo es el nivel de equipamiento de los hogares españoles: hay un televisor en prácticamente el 100% de los hogares españoles, radio en el 98%, teléfono en el 95%, equipo de música en el 70% y ordenador en el 40%. Es cierto que existen diferencias considerables entre unas y otras familias en cuanto a la renta y la capacidad adquisitiva, pero, según los economistas, esas diferencias van disminuyendo, aunque sea lentamente. Según el Índice de Desarrollo Humano, un análisis llevado a cabo por organismos internacionales, España se halla entre los 25 primeros países del mundo en los que mejor se vive.

23

Trabajo y economía doméstica

españoles lo más importante es que sea seguro, estable; para el 7,3% la cuestión más importante es que proporcione ingresos altos; sólo el 3% dan prioridad a que tenga prestigio social y que les proporcione mando y poder. Los gráficos siguientes muestran con más detalle la escala de valores:

1. Mercado de trabajo

La cuestión que más preocupa a los españoles en materia de economía doméstica es el desempleo, un problema importante a partir de la crisis internacional de finales de los 70 que tuvo gran repercusión y acabó con numerosos puestos de trabajo. Para comprender la situación actual en España, hay que tener en cuenta que en las últimas décadas, por un lado, ha aumentado considerablemente la población en edad de trabajar, por otro, un gran número de mujeres se han incorporado al mercado laboral y, finalmente, miles de emigrantes españoles con sus familias han regresado a España. En el tercer trimestre de 2002 la tasa de actividad se situaba en el 54,31% y la tasa de paro, en el 11,41%. En el 74,5% de los hogares españoles hay al menos una persona activa.

A la hora de valorar un empleo, para el 88,4% de los

VALORAR UN EMPLEO
¿Cuál de estos aspectos le parece más importante?

¿Y cuál de éstos?

Fuente: CIS, 1999

2. Ingresos y gastos de las familias españolas

Para poder evaluar la economía familiar hay que tener en cuenta, por un lado, los ingresos que perciben los trabajadores y, por otro, los gastos que tienen ellos y su familia.

☐ El 60% de las parejas (casadas o no) tienen el dinero en una cuenta común; en otro 37% de los casos, uno de ellos (mayormente, la mujer) administra el dinero y da a su pareja una parte. Según el CIS, en 2001 en el 60% de los hogares españoles se ahorró (en el 48% poco, en el 11% bastante y en el 1% mucho). ■

Fuente: CIS, 2001

¿En qué se gastan el dinero los españoles?

En la actualidad los trabajadores cobran de media unos 1.500 euros al mes, y el gasto medio por persona son unos 500 euros al mes.

¿Cuál es la situación específica de los jóvenes?

Fuente: CIS, 1999

MINISTERIO
DE HACIENDA

IMPUESTO SOBRE LA RENTA DE LAS
PERSONAS FÍSICAS

Actividades económicas en estimación directa

PAGO FRACCIONADO

MODELO 130

Declaración-liquidación en euros

3. Impuestos

En 1979 se implantó en España el Impuesto sobre la Renta de las Personas Físicas o IRPF. Desde entonces, en cada nómina las empresas retienen un porcentaje en concepto de IRPF. Una vez al año cada familia con ingresos por encima del mínimo que establece el Ministerio de Hacienda está obligada, según la ley, a hacer la Declaración de la Renta del año anterior. Los impresos se pueden obtener en los estancos, o bien en las oficinas de Hacienda, llamadas Administraciones y Delegaciones. Una vez rellenados, se pueden presentar en esas mismas oficinas, o bien en los bancos y cajas de ahorros. Si al hacer la Declaración la familia ha pagado más IRPF del que le corresponde, Hacienda le devolverá el dinero que sobra. Si, por el contrario, ha pagado menos del que le corresponde, tendrá que pagar a Hacienda la diferencia.

Para desplazarse por España, uno puede utilizar diversos medios de transporte, ya sea privados, ya sea públicos. Es de suma importancia para la economía del país mantener en buen estado, ampliar y modernizar las vías de comunicación -Red de Carreteras, Red Ferroviaria-, así como los puertos y aeropuertos, no sólo por los propios españoles y sus mercancías, sino también por los millones de visitantes que año tras año viajan por España. En la actualidad, las redes viarias y ferroviarias, así como los medios de transporte colectivos españoles tienen un nivel muy superior al de años atrás.

24

Transporte

1. El avión

En España hay más de 40 aeropuertos civiles, todos ellos gestionados por AENA -Aeropuertos Españoles y Navegación Aérea-. Algunos de ellos son internacionales, como el de Barcelona, el de Bilbao, el de Madrid Barajas, Málaga, Palma de Mallorca o Sevilla. Entre Madrid y Barcelona existe el denominado "puente aéreo", un servicio de vuelos muy frecuentes que une las dos ciudades desde las 7 de la mañana hasta la media noche. En 2000 pasaron por los aeropuertos españoles 59.689.281 viajeros en vuelos nacionales y 83.390.023 en vuelos internacionales.

2. El tren

RENFE -Red Nacional de Ferrocarriles Españoles- es la principal compañía ferroviaria del país. En algunas zonas también hay otras líneas, pero son muy pocas. En total, hay más de 13.000 Km de vías.

Existen trenes de cercanías, que conectan los pueblos y ciudades de los alrededores con las capitales de provincia del país, los regionales, dentro de la región, y los de largo recorrido, que conectan las distintas capitales de provincia. Aparte, hay trenes especiales, como el Talgo y el AVE. El Talgo ya tiene bastantes años de historia: funciona desde 1949. El AVE se inauguró en 1992, con motivo de la Exposición Universal de Sevilla. Además, hay algunos recorridos internacionales ya clásicos, como La Puerta del Sol, que va de Madrid a París, y El Catalán Talgo, que hace el recorrido entre Barcelona y París. De Barcelona tambiém salen trenes para Zúrich y Milán.

Hay varios tipos de billete: sencillo, de ida y vuelta (con descuento en los trenes de largo recorrido), bonotrén (10 viajes, más económico), abono mensual (laborables y festivos de todo el mes), billetes especiales para estudiantes, para turistas, etc. En 2001, entre cercanías y largo recorrido, los trenes españoles transportaron alrededor de 466.490.000 viajeros.

Los billetes se compran en una taquilla de la estación. También hay instaladas máquinas expendedoras, que aceptan billetes y devuelven cambio.

☐ *Las Líneas de Alta Velocidad Española (AVE) circulan entre Madrid y las ciudades siguientes: Sevilla, Ciudad Real y Puertollano, Málaga, Cádiz, Huelva y Algeciras. El 14 de abril de 1992 se inauguró la línea con el primer viaje oficial y una semana después se inició la explotación comercial. El 18 de octubre del mismo año entró en funcionamiento el trayecto Madrid - Ciudad Real - Puertollano. El 11 de septiembre de 1994 los trenes alcanzan los 300 kilómetros por hora en servicio comercial. Un AVE es capaz de realizar el recorrido Madrid - Sevilla en 2 horas y 15 minutos. En agosto de 1998 AVE fue designada finalista de los premios europeos de calidad.*■

(Adaptado de www.renfe.es)

Otra opción es comprarlos por Internet o por reserva telefónica. Después se cancelan en otra máquina antes de subir al tren.

Cuando se va a viajar lejos, es aconsejable adquirir el billete con antelación, sobre todo en épocas de vacaciones. En las grandes estaciones suele haber ventanillas específicas para este propósito, indicadas con el cartel de venta anticipada. En los trenes de largo recorrido hay clase turística y clase preferente.

3. El barco

El transporte marítimo de pasajeros tiene menor importancia que el transporte terrestre y el aéreo. Con todo, en 2001 navegaron entre los puertos españoles 13.586.928 viajeros, y otros 3.710.577 hicieron trayectos internacionales.

4. El metro

Algunas de las principales ciudades españolas tienen ferrocarril subterráneo metropolitano o metro. Los más antiguos son el de Madrid (12 líneas) y el de Barcelona (5 líneas), posteriormente se construyó en Valencia y Bilbao. Un billete

sencillo vale alrededor de 1 euro, pero comprando una tarjeta de 10 viajes (bono-metro), uno se ahorra casi la mitad. La tarifa es igual, ya se viaje a una estación cercana o a una lejana, ya se haga transbordo o no. Los billetes de metro también se compran en la misma estación, en una taquilla o en una máquina expendedora. En los vagones modernos, a medida que el metro va llegando a cada estación de la línea, se va encendiendo una luz que indica a los pasajeros en qué estación del trayecto se encuentran.

Los horarios del metro varían de ciudad a ciudad. En Madrid, por ejemplo, está abierto todos los días de 6:00 de la mañana a 2:00 de la noche, mientras que en Barcelona los días laborables y festivos el horario es de 5:00 a 24:00 y los viernes, sábados y vísperas de festivo de 5:00 de la mañana a 2:00 de la noche.

5. Transporte por carretera

Seis carreteras nacionales constituyen los ejes de la Red Nacional de Carreteras, un sistema radial que une la capital de España con:

Irún (País Vasco), N I; La Junquera (Cataluña), N II; Valencia (Comunidad Valenciana), N III; Cádiz (Andalucía), N IV; Badajoz (Extremadura), N V y La Coruña (Galicia), N VI. Además de esas seis, existen muchas otras carreteras principales -en total, unos 170.000 Km- y secundarias -en total, unos 500.000 Km-: nacionales, regionales, provinciales y comarcales, cada una con su número respectivo. Además, hay aproximadamen-

te 2.100 Km de autopistas de peaje o de pago y 8.000 Km de autovías.

Las señales de tráfico empleadas en España son internacionales. En las matrículas de los vehículos matriculados hasta septiembre de 2002 las primeras letras indican la provincia, por ejemplo, BA (Badajoz), CE (Ceuta), CU (Cuenca), VA (Valladolid), etc. Sin embargo, a partir de ese mes hubo que implantar un nuevo sistema, dado que el tradicional estaba a punto de agotarse en las provincias de Madrid y Barcelona. Con el nuevo sistema, en la matrícula se ve que el vehículo es de España, pero no se puede saber de qué comunidad autónoma ni de qué provincia, lo que ha dado lugar a algunos debates.

6. El autobús

Hay dos tipos de autobuses: urbanos e interurbanos. Normalmente, se entra por la puerta delantera y se le paga directamente al conductor. También es posible comprar un abono para varios viajes; el punto de venta varía de unas ciudades a otras: puede ser en el mismo autobús, en una estación de autobuses o de metro, en bancos y cajas de ahorros, etc. Es preciso informarse en cada caso.

7. El taxi

Las tarifas que se pagan en un taxi varían de una ciudad a otra, si bien hay algunas normas generales. Se paga algo más de 1 euro por bajada de bandera, es decir, al entrar en el taxi; también se paga un suplemento por cada maleta y por servicio nocturno o festivo. Dentro de la ciudad, el taxímetro indica el importe del viaje. Al salir del casco urbano, es habitual que el taxista fije el importe del trayecto sin usar el taxímetro. En estos casos, antes de emprender el viaje, se le puede preguntar al taxista: "¿Cuánto me cobra por llevarme a X?".

Los taxis de cada ciudad suelen ser del mismo color: los de Madrid son blancos, los de Barcelona, negros y amarillos, etc.

8. Vehículos particulares

La mayoría de las familias españolas tienen un coche o automóvil; algunas tienen más de uno. En 2000 había en circulación 17.449.000 coches, lo que supone más de 4 por cada 10 habitantes. Últimamente se vienen matriculando al año alrededor de 1.400.000 coches.

A los 18 años de edad, después de unas cuantas clases de teoría y práctica en una autoescuela, se puede obtener un permiso de conducción, lo que comúnmente se llama "sacarse el carnet de conducir", para lo cual hay que aprobar un examen.

En cuanto a las motocicletas, a partir de los 14 años ya se puede conducir una motocicleta de menos de 50 c.c. con un permiso municipal; a los 16 se puede obtener un carnet de conducir para motos de menos de 125 c.c. y a los 18, uno para motos de cualquier cilindrada. Los que más

van en moto son los jóvenes. En 2000 había en circulación un total de 1.446.000 motocicletas.

Otro medio de transporte privado es la bicicleta, aunque en España se utiliza poco para desplazarse. En cambio, sí hay muchos españoles que practican el ciclismo como deporte.

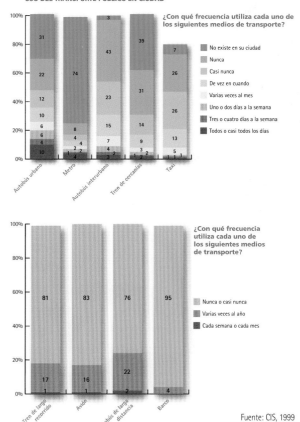

USO DEL TRANSPORTE PÚBLICO EN CIUDAD

Fuente: CIS, 1999

Turismo

España es una de las principales potencias turísticas mundiales: después de Francia, es el segundo destino del mundo en cuanto a número de visitantes, y después de EEUU, en cuanto a ingresos. En España el turismo representa, por tanto, una inestimable fuente de entradas. Alrededor de 1.100.000 personas dependen directa o indirectamente del turismo y los ingresos por turismo representan aproximadamente un décimo del Producto Interior Bruto (PIB). En las Islas Canarias la proporción se eleva hasta un cuarto del PIB y en las Islas Baleares alcanza la mitad.

1) La industria del turismo

¿Cuántos turistas visitan España cada año? •
¿Cuáles son los destinos preferidos? • ¿Dónde se alojan?

2) Principales ofertas turísticas

Turismo de costa o de playa • Turismo cultural • Turismo festivo •
Turismo de lujo • Turismo gastronómico • Turismo rural o ecológico

Turismo

1. La industria del turismo

El fenómeno del turismo en España empezó a cobrar importancia en los años 50 del siglo XX. El desarrollo del sector turístico en este país ha sido posible gracias a varios factores. Por una parte, el clima, que constituye un atractivo innegable para los habitantes del centro y norte de Europa. Por otra parte, los precios de los restaurantes, hoteles, bares, transportes públicos, etc. son más baratos que en esos países. Otro factor decisivo es la proximidad geográfica, lingüística y cultural, que hace que les resulte fácil, cómodo y barato venir. Por si todo eso fuera poco, España es el primer país del mundo en número de bienes declarados Patrimonio de la Humanidad por el Comité del Patrimonio Mundial de la UNESCO.

MONUMENTOS DECLARADOS
PATRIMONIO DE LA HUMANIDAD

1 1984 Parque y Palacio Güell y Casa Milá en Barcelona.
2 1984 Monasterio y Sitio de El Escorial, Madrid.
3 1984 Catedral de Burgos.
4 1984 Alhambra, Generalife y Albaicín, Granada.
  1984 Centro histórico de Córdoba.
5 1985 Monumentos de Oviedo y del Reino de Asturias.
  1985 Cuevas de Altamira.
6 1985 Ciudad vieja de Segovia y su Acueducto.
7 1985 Ciudad vieja de Santiago de Compostela.
8 1985 Ciudad vieja de Ávila e iglesias extra-muros.
9 1986, 2001 Arquitectura mudéjar de Aragón.
  1986 Parque Nacional de Garajonay.
  1986 Ciudad vieja de Cáceres.
10 1986 Ciudad histórica de Toledo.
  1987 Catedral, Alcázar y Archivo de Indias de Sevilla.
11 1988 Ciudad vieja de Salamanca.
  1991 Monasterio de Poblet.
12 1993 Conjunto arqueológico de Mérida.
13 1993 El Monasterio Real de Santa María de Guadalupe.
  1993 El Camino de Santiago de Compostela.
  1994 Parque Nacional de Doñana.
  1996 Ciudad histórica fortificada de Cuenca.
  1996 La Lonja de la Seda de Valencia.
  1997 Palau de la música catalana y hospital de Sant Pau, Barcelona.
  1997 Las Médulas.
  1997 Monasterios de San Millán de Yuso y de Suso.
  1998 Arte rupestre del Arco Mediterráneo de la Península Ibérica.
14 1998 Universidad y recinto histórico de Alcalá de Henares.
15 1999 Ibiza, biodiversidad y cultura.
  1999 San Cristóbal de La Laguna.
  2000 Sitio Arqueológico de Atapuerca.
  2000 Palmeral de Elche.
  2000 Iglesias románicas catalanas del valle del Boí.
  2000 Muralla romana de Lugo.
  2000 Conjunto arqueológico de Tarragona.
  2001 Paisaje cultural de Aranjuez.
  2003 Conjuntos Monumentales Renacentistas de Úbeda y Baeza.

Francia / España 1997:
Pirineos / Monte Perdido (Mont Perdu).

(Extraído de whc.unesco.org/patrimonio.htm)

¿Cuántos turistas visitan España cada año?

El número de turistas en España ha ido aumentando progresivamente a lo largo del tiempo. En 1955 vinieron a España más de 1.500.000 turistas; en 1960, más de 4 millones; en 1965, más de 11 millones; en 1970, más de 21 millones... Según el Instituto de Estudios Turísticos (IET), en el año 2001 ya fueron casi 50 millones. En este último año en el 85% de los casos el motivo del viaje fueron las vacaciones, en el 8%, el trabajo o los estudios y en el 5%, asuntos personales, de salud o familiares. Además de los turistas de otros países, aproximadamente la mitad de los españoles salen de vacaciones cada año y la mayoría se quedan en el territorio nacional.

Procedencia de los turistas	Millones
Reino Unido	14,0
Alemania	10,5
Francia	6,7
Italia	2,2
Países Bajos	2,2

Fuente: IET, 2001

¿Cuáles son los destinos preferidos?

En términos generales, los destinos más solicitados año tras año son las islas, el litoral mediterráneo y Madrid. Según el país de procedencia, existen diferencias significativas de preferencias. Con respecto a los dos primeros colectivos de extranjeros, a Canarias llegan más alemanes que británicos, mientras que Andalucía, las Islas Baleares, Cataluña y la Comunidad Valenciana reciben un mayor número de turistas británicos. Los franceses e italianos prefieren Cataluña y los portugueses y estadounidenses, Andalucía.

¿Dónde se alojan?

La mayoría de los visitantes extranjeros prefieren alojarse en alguno de los más de 16.000 establecimientos hoteleros que hay repartidos por todo el país y que en 2001 ofrecían un total de 1.337.022 plazas hoteleras. En el año 2001, 7.287.452 extranjeros se alojaron en apartamentos turísticos; 1.953.905 lo hicieron en alguno de los 1.200 campamentos turísticos, que ofrecen un total de 450.000 plazas; 390.129, en albergues juveniles y 124.125, en alojamientos de turismo rural. Según el Instituto de Estudios Turísticos (IET), la

estancia media de los turistas llegados a España en el año 2001 fue de unos 9 días.

Alojamientos

Paradores Nacionales de Turismo (de lujo)

Hoteles de 1 a 5 estrellas

Hostales, fondas o casas de huéspedes (más baratas)

Apartamentos turísticos: pisos en zonas turísticas, sobre todo, en la playa

Campamentos turísticos, comúnmente llamados *campings*.

2. Principales ofertas turísticas

El turismo internacional se ha venido concentrando o bien en las zonas costeras, donde hay buen clima, playas y diversión nocturna, o bien en las grandes ciudades, donde se puede participar en la vida cultural y visitar museos, monumentos... El turismo nacional, por su parte, se ha diversificado más: unos comparten las mismas preferencias de los extranjeros, pero otros buscan lugares menos concurridos en cualquier punto de la geografía española.

En España la oferta turística es muy variada y cubre un amplio espectro de opciones.

Turismo de costa o de playa

Es el turismo más tradicional y popular desde hace 50 años. Los turistas se sienten atraídos por el sol, un sinnúmero de playas y una vida nocturna animada. Además, alojamiento y comida a precios muy asequibles constituyen un aliciente más a tener en cuenta. Las zonas preferidas son:

1. Canarias
2. Baleares
3. Cataluña
4. Andalucía
5. Comunidad Valenciana

Turismo cultural

Está organizado en torno al patrimonio artístico y monumental: castillos, catedrales, cascos antiguos... Los turistas se sienten atraídos por los monumentos, los museos, las visitas guiadas... Asimismo, las ciudades cada vez ofrecen un abanico más amplio de actividades culturales como los festivales, las exposiciones...

Turismo festivo

Está organizado en torno a las tradiciones y fiestas populares. Algunas de las fiestas que más interesan a los turistas son las Fallas de Valencia, los Sanfermines de Pamplona, la Feria de Abril y la Semana Santa de Sevilla.

Turismo de lujo

Está centrado en la Red de Paradores Nacionales de Turismo, compuesta por 87 edificios históricos -castillos medievales, palacios, conventos...-. Los Paradores ofrecen un total de 7.500 plazas, además de actividades como el golf o los deportes náuticos, entre otras. Son variantes del turismo de lujo el turismo termal en los balnearios de, por ejemplo, Extremadura, Murcia o Cataluña y el turismo invernal en los Pirineos o en Sierra Nevada.

Turismo gastronómico

La cocina tradicional española, con su rica variedad de platos típicos, constituye un sabroso aliciente para numerosos turistas. Las nuevas promociones de cocineros -Ferrá Adriá, Juan María Arzak y Martín Berasategui- aprovechan los gustos tradicionales para incorporar una cocina de vanguardia que constituye uno de los reclamos turísticos más novedosos. Se une una tradición vitícola que hace posible conjugar dos de los atractivos de la cultura tradicional de España.

Turismo rural o ecológico

Es un fenómeno turístico reciente en España, pero en aumento constante. El contacto con la naturaleza y con las labores agrícolas caracterizan a este tipo de turismo. Además, el consumo de productos naturales y de platos tradicionales es otro de sus muchos alicientes. También se pueden practicar deportes como el senderismo, el parapente o el ciclismo de todoterreno.

¿Qué debe saber un turista en España?

 ✔ En cada ciudad hay, al menos, una oficina de turismo, donde puede obtener planos, mapas y folletos turísticos en varios idiomas, así como información sobre alojamiento, transporte, lugares de interés, excursiones, etc. En las agencias de viajes también tienen información.

 ✔ Se puede cambiar dinero en bancos y cajas de ahorros de cualquier ciudad -también los hay en aeropuertos y estaciones de ferrocarril-, en oficinas de cambio, hoteles, etc. Siempre hay que presentar el Pasaporte o el Documento Nacional de Identidad (DNI).

 ✔ En la recepción del hotel o del *camping* se debe enseñar el Pasaporte o el DNI, pero no tienen derecho a retenerlo más que el tiempo necesario para tomar los datos.

✔ En España la electricidad es de 220 v.

 ✔ En bastantes ciudades hay autobuses turísticos que proponen diferentes itinerarios.

 ✔ Conviene hacer las reservas de alojamiento con antelación, especialmente en temporada alta.

 ✔ Detrás de la puerta de cada habitación de hotel, pensión, etc., se ofrece a los huéspedes información en varios idiomas, relativa a las normas del establecimiento, precio de la habitación, etc.

 ✔ Una tarifa de pensión completa significa que, además de la habitación, están incluidas tres comidas al día. Media pensión da derecho a desayuno y una comida diaria, normalmente la cena. Con derecho a desayuno significa que, salvo ese servicio, no se incluyen comidas.

 ✔ En la playa se pueden alquilar sillas, tumbonas, sombrillas, barcas, etc.

 ✔ Muchos museos están cerrados los lunes. En cualquier caso, conviene informarse con antelación.

 ✔ En algunas catedrales e iglesias los visitantes tienen que respetar ciertas normas en cuanto a su indumentaria. Asimismo, es preferible visitar estos sitios de culto cuando no haya misa ni ninguna otra ceremonia religiosa.

 ✔ En bastantes lugares turísticos se hace descuento a estudiantes, profesores, niños, ancianos, grupos, etc.

Existen ciertas costumbres en torno a las invitaciones a almorzar y a cenar. Cuanto más formales sean las situaciones, tanto más estrictas son las normas que se observan. Conociendo dichas costumbres y normas de protocolo, se evita cometer errores culturales, comportándose con demasiada formalidad en casa de unos amigos o con demasiada espontaneidad en una cena de etiqueta.

26

Usos en la mesa

1. Los preparativos de la comida

El almuerzo o la cena se considera, ante todo, una ocasión para reunirse con los amigos, familiares, compañeros de trabajo, clientes, etc. Una buena comida, junto con buena bebida, son de agradecer, pero lo principal es la compañía y la charla o tertulia antes, durante y después de la comida. Si la comida es en casa, los invitados llevan a los anfitriones algún regalo: vino, bombones, un pastel, flores, etc. El tipo de ropa que se ponen los comensales para cada ocasión depende, por una parte, del lugar donde se va a celebrar la comida -no es lo mismo encontrarse en casa que en un restaurante de lujo- y, por otra, del grado de formalidad -una comida familiar es menos formal que, por ejemplo, una cena de trabajo con unos clientes de la empresa-.

En España el almuerzo suele ser alrededor de las 14:00 y la cena, entre las 21:00 y las 22:00. Es preferible no llegar antes de la hora, ya que posiblemente los anfitriones todavía estén ultimando los detalles de la comida o estén ocupados con cualquier otra tarea doméstica. Si se trata de una comida informal, es aceptable llegar con algunos minutos de retraso -hasta 15 ó 20, si hay mucha confianza-, pero si la ocasión es formal, se espera puntualidad de los invitados. En las comidas con amigos y familiares se considera de buena educación que los invitados se ofrezcan para echar una mano, tanto antes de comer -para preparar la comida o poner la mesa- como después de comer -para quitar la mesa o fregar los platos-, ofrecimiento que los anfitriones agradecerán, aunque, generalmente, lo rechazarán.

2. Almuerzos y cenas informales

En situaciones informales existe mucha libertad, pero también se observan ciertas normas:

• Si a uno lo invitan a casa de unos amigos o familiares y el invitado desea ir acompañado de alguien más, se considera que lo educado es consultar a

los anfitriones, a ser posible, con antelación.

• Cuando nos visitan unos amigos en casa, a no ser que vengan, precisamente, a ver la televisión (por ejemplo, un partido de fútbol), se considera de buen gusto apagar el televisor y prestarles atención a ellos. Por el contrario, sí se considera una muestra de cortesía poner música de fondo.

• Los invitados no empiezan a comer hasta que no lo hacen los anfitriones.

• Al empezar, lo educado es decir al resto de los comensales: "Que aproveche".

• Es normal coger ciertos alimentos como las aceitunas o la fruta con las manos.

• No se hacen ruidos con la boca. Así, no se sorbe la sopa ni se mastica con la boca abierta.

• Si la comida es en casa y los invitados han llevado vino o un pastel, a su debido tiempo los anfitriones comparten el regalo con los comensales.

3. Almuerzos y cenas formales

Buena parte de los errores culturales se deben a la suposición de que las costumbres y usos en la mesa son internacionales. Lo cierto es que algunos usos y costumbres difieren totalmente de una cultura a otra. Cuanto más formal sea la situación, tanto más estrictas

serán las normas. Estas son algunas:

• Las parejas no se sientan uno al lado del otro, sino uno frente al otro.

• Se coloca la servilleta sobre las rodillas. La servilleta en el cuello se reserva sólo para los niños.

• Empezamos a comer cuando lo hace la anfitriona, o bien cuando esta nos indica que ya podemos hacerlo.

• Al empezar, lo educado es decir al resto de los comensales: "Que aproveche".

• Si nos sirven sopa muy caliente, no la removemos con la cuchara ni soplamos, sino que, simplemente, esperamos a que se enfríe.

• Cuando vamos a tomar comida de una bandeja, nos servimos de la parte más cercana a nosotros. No es de buena educación seleccionar lo que más nos gusta y apartar lo demás.

• El tenedor se coge con la mano izquierda y el cuchillo, con la derecha.

• Si nos ponen varios cubiertos, basta con recordar la sencilla regla de que se empieza desde fuera hacia dentro: el tenedor para el primer plato se coloca en el extremo izquierdo y el cuchillo para el primer plato, en el extremo derecho; a continuación, hacia el interior, tenemos el cubierto para el plato principal y en el interior, junto al plato, el cubierto para el postre.

• Las copas se disponen de izquierda a derecha por este orden: la del licor (la más pequeña), la del agua (la más grande), la del vino tinto y la del vino blanco y / o la del cava.

• Los espaguetis se comen con tenedor y cuchara, pero no se cortan.

• Ciertos alimentos se cogen con las manos, por ejemplo, el pan, los canapés, etc.

• No se hacen ruidos con la boca. Así, no se sorbe la sopa ni se mastica con la boca abierta.

• Si nos sirven un filete de carne, este se pincha con el tenedor y se va cortando a medida que se va comiendo. Sólo a los niños se les suele cortar todo en trozos pequeños para que después ellos se los vayan comiendo uno a uno.

• Si nos ponen cuchillo y tenedor para la fruta, los usamos.

• No está bien visto usar palillos en público.

4. La relación entre el camarero y los comensales

Al camarero se le suele tratar de usted. Aparte de la comunicación verbal, existen unos signos de comunicación no verbal y unos rituales entre el camarero y los comensales, por ejemplo:

• Antes de servir el vino, el camarero lo da a probar al comensal que parezca más experto en vinos, o bien, sencillamente, a la persona que invita.

• En una cena formal, si dejamos sobre el plato el cuchillo y el tenedor en ángulo, y el tenedor está con las puntas hacia abajo, el camarero sabe que aún no hemos terminado de comer, por tanto no nos retira el plato y los cubiertos.

• Si, por el contrario, dejamos dentro del plato el cuchillo y el tenedor el uno al lado del otro, y el tenedor está con las puntas hacia arriba, el camarero entenderá que hemos terminado de comer y, por tanto, nos retirará el plato y los cubiertos.

• Si hay algo de la comida que no es de nuestro agrado -carne poco hecha, sopa poco caliente, etc.-, el camarero comprenderá que reclamemos: "Camarero, por favor, ¿le importaría pasarme un poco más este filete?", "Oiga, por favor, ¿podría calentarme un poquito la sopa?".

5. La cuenta

Quien ha invitado a comer, al terminar pide la cuenta y paga los gastos de todos los comensales. Se considera educado pagar sin que se note, es decir, ir a la caja del restaurante, pedir la cuenta y pagar con

discreción, sin que los demás comensales vean ni oigan hablar de dinero. Es común que varios comensales se disputen amigablemente el honor de invitar a los demás. En el caso de que varias parejas de amigos vayan juntas a cenar con cierta regularidad, también es normal que se divida el importe de la cuenta entre las parejas y que cada pareja pague la parte proporcional. En cambio, no parecería elegante que cada uno pretendiera pagar exactamente los platos que ha comido.

Por último, cabe recordar que al camarero se le da una propina, generalmente entre el 5% y el 10% del importe de la cuenta.

6. En un cóctel

Un cóctel es una reunión social donde se sirven bebidas y, generalmente, también algo de comida. Dado que la función principal de un cóctel es relacionarse con el resto de los invitados y charlar, para quedar bien con los anfitriones, se come y se bebe con moderación. Cuando a uno lo invitan a un cóctel es aceptable ir acompañado de, por ejemplo, un amigo, aunque este no haya sido invitado.

Las visitas brindan la ocasión de entablar, conservar y reforzar relaciones sociales. Por ello, es importante saber prepararlas y hacerlas de forma adecuada. Antes de visitar a alguien, a no ser que se trate de un familiar muy allegado o un íntimo amigo, se suele llamar por teléfono para quedar a una hora y en un día determinados.

27

1) Horario de visitas

2) Al llegar a casa de nuestros anfitriones

Visitas

1. Horario de visitas

Las visitas se suelen hacer por la tarde. Generalmente, por la mañana cada uno está con sus ocupaciones en casa o fuera de ella. Muchas personas salen del trabajo o de los estudios a las 5 de la tarde. Por eso, entre las 6 y las 8 es cuando se suele aprovechar para ir a casa de familiares y amigos. En general, se procura no alargar demasiado la visita, pues los anfitriones probablemente tienen que preparar la cena y, a lo mejor, salir a comprar algo. Los fines de semana y demás días de fiesta, como mucha gente se levanta tarde, también se suelen dejar las visitas para la tarde.

Cuando se va de visita a casa de un amigo, es normal llegar unos minutos más tarde de la hora convenida. El retraso aceptable es proporcional al grado de confianza. Uno puede llegar 20 minutos tarde a casa de un buen amigo y pedirle disculpas utilizando fórmulas como: "Perdona el retraso, pero es que...". Cuando hay poca confianza, un retraso de más de 5 ó 10 minutos puede parecerles a los anfitriones una falta de respeto. Si por cualquier motivo vamos a retrasarnos, la solución más sencilla es avisar por teléfono.

Si se trata de una urgencia, probablemente a nadie le molestará que vayan a su casa o que lo llamen por teléfono a cualquier hora. Sin embargo, para asuntos normales de la vida cotidiana, no se suele ir ni llamar de noche a nadie. Así, por regla general, entre las 10:30 de la noche y las 9:30 de la mañana no suenan muchos teléfonos. Estos horarios varían el fin de semana: antes de las 11 de la mañana no se suele llamar por teléfono y menos aún visitar a nadie.

2. Al llegar a casa de nuestros anfitriones

En España, a diferencia de algunos países orientales y del norte de Europa, al entrar en casa de los anfitriones los invitados no se descalzan.

Si se ha recibido una invitación para comer o cenar, los invitados, según la costumbre, obsequian a los anfitriones con

algún regalo: es una muestra de agradecimiento. Los regalos pueden ser de muchos tipos, aunque los más comunes en estos casos son una botella de vino o cava, un pastel o una bandeja de pastas para el postre o una caja de bombones. También es normal llevar flores a la anfitriona (pero no al anfitrión). Cuando los invitados son amigos muy íntimos o familiares muy próximos no existe esa obligación social.

Generalmente, los anfitriones presentan a los invitados que no se conocen entre sí, aunque si no se dan cuenta, es normal presentarse uno mismo.

Cuando los invitados se marchan, los anfitriones los acompañan hasta la puerta para despedirlos: es una muestra de cortesía.

☐ *Shuru, ¿ya estás plenamente familiarizada con las costumbres españolas?*

■ Sí, creo que sí.

☐ *Cuando ibas de visita al principio, ¿qué era lo que más te sorprendía?*

■ Que me enseñaran toda la casa: la cocina, el cuarto de baño, el trastero...

☐ *¿Y cuando los españoles iban a tu casa de visita?*

■ Que trajeran una botella de vino o algún postre.

☐ *¿Te parece que los españoles son puntuales?*

■ Me parece que cada vez lo son más.

☐ *¿Te ha resultado difícil adaptarte a las costumbres españolas?*

■ En general, no.

☐ *¿Cómo las has aprendido?, ¿estudiando?, ¿observando?*

■ Estudiando he aprendido mucho, pero ciertos detalles se aprenden observando.

☐ *¿Darías algún consejo a los extranjeros que llevan poco tiempo aquí?*

■ Si te invita un español a su casa, lo más cortés es que después tú lo invites a él también.

En 2001 había en España un total de 13.105.788 hogares, con un promedio de 3,4 personas por hogar. En los hogares españoles el nivel de equipamiento y de servicios en la vivienda hoy en día es considerablemente superior al de hace unas décadas, lo que ayuda a gozar de una calidad de vida comparable a la de cualquier otro país desarrollado.

La inmensa mayoría de los españoles vive en una vivienda en propiedad; sólo una minoría reside en una vivienda alquilada. Además, el 19% tienen una segunda residencia.

28

Vivienda

1. ¿Comprar o alquilar la vivienda?

Siguiendo la tradición española, una de las metas de la mayoría de los ciudadanos es llegar a tener una vivienda en propiedad, ya sea un piso, ya una casa. La situación económica del país en cada época y el hecho de tener o no un empleo estable son factores que condicionan las posibilidades y la decisión de comprar, alquilar o seguir en casa de los padres. En las grandes ciudades el precio del terreno y, por consiguiente, también el precio de las viviendas construidas es bastante más caro que en los pueblos, por lo que en aquéllas dicha meta es más difícil de alcanzar.

El resultado es que, cuanto mayor es la ciudad, tanto mayor es el porcentaje de personas y familias que compran un piso y tanto menor es el porcentaje de personas y familias que compran una casa. Cuando se elige la opción minoritaria de alquilar, principalmente se trata de un piso: son pocos quienes alquilan una casa.

En cuanto a los cambios de vivienda, la tendencia es la de permanecer un tiempo considerable en el mismo domicilio.

2. Servicios en la vivienda

En el 80% de las viviendas hay 3 ó 4 habitaciones, enten- diendo por tales, dormitorios, bibliotecas, despachos, cuarto para planchar, etc. Según unos estudios llevados a cabo por el Centro de Investigaciones Sociológicas en 2000 y 2001, la mayoría de los ciudadanos se muestran satisfechos con su piso o casa. En una escala del 0 (totalmente insatisfecho) al 10 (plenamente satisfecho), la nota media que dan los entrevistados es 7,7. La valoración es directamente proporcional al número de habitaciones de la vivienda: desde un promedio mínimo de 6,8 los que tienen 1 ó 2 habitaciones hasta un promedio máximo de 8,3 los que tienen 5 ó más habitaciones. La tabla siguiente ofrece una idea de los servicios en las viviendas españolas:

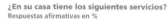

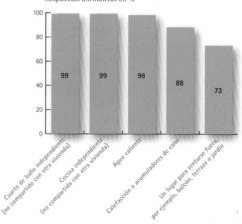

¿En su casa tiene los siguientes servicios?
Respuestas afirmativas en %

Fuente: CIS, 2000

3. Equipamiento en los hogares españoles

Muchos de los electrodomésticos y demás bienes de consumo que en otro tiempo se consideraban un lujo o un capricho se ven en la actualidad como artículos necesarios para poder llevar una vida digna. Neveras, lavadoras, teléfonos, televisores y vídeos, entre otros, están presentes en la mayor parte de los hogares españoles. Otros aparatos como lavavajillas, ordenador o secadora de ropa, por ejemplo, todavía no son tan comunes como los anteriores, pero su utilización es también cada vez más generalizada.

Mientras que el uso de algunos bienes se ha mantenido más o menos estable en los últimos 10 años, en otros casos el incremento ha sido considerable, tal como muestra la tabla siguiente:

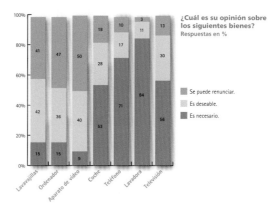

¿Cuál es su opinión sobre los siguientes bienes?
Respuestas en %

- Se puede renunciar.
- Es deseable.
- Es necesario.

¿Cuál es su situación actual en relación con estos bienes?
Respuestas en %

- No tiene por otras razones.
- No tiene porque no puede.
- Tiene.

Fuente: CIS, 2000

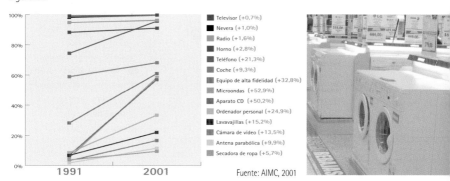

- Televisor (+0,7%)
- Nevera (+1,0%)
- Radio (+1,6%)
- Horno (+2,8%)
- Teléfono (+21,3%)
- Coche (+9,3%)
- Equipo de alta fidelidad (+32,8%)
- Microondas (+52,9%)
- Aparato CD (+50,2%)
- Ordenador personal (+24,9%)
- Lavavajillas (+15,2%)
- Cámara de vídeo (+13,5%)
- Antena parabólica (+9,9%)
- Secadora de ropa (+5,7%)

Fuente: AIMC, 2001

4. El entorno de la vivienda

Más de un tercio de la población española vive en una de las capitales de provincia y más de un cuarto en otras ciudades de entre 10.000 y 50.000 habitantes. Según un estudio realizado por el Centro de Investigaciones Sociológicas en 2001, la mayoría de los españoles están satisfechos con el entorno de su vivienda. En una escala del 0 (totalmente insatisfecho) al 10 (plenamente satisfecho), la nota media que los entrevistados dan al barrio o pueblo es 7,3 y la que dan al municipio, 7,5. La tabla siguiente ofrece una idea de los servicios en los municipios españoles:

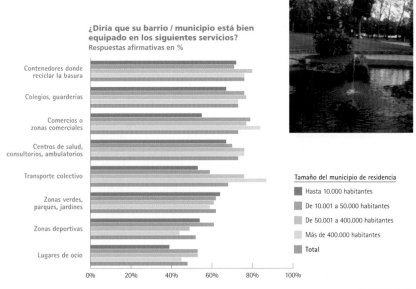

¿Diría que su barrio / municipio está bien equipado en los siguientes servicios?
Respuestas afirmativas en %

Contenedores donde reciclar la basura

Colegios, guarderías

Comercios o zonas comerciales

Centros de salud, consultorios, ambulatorios

Transporte colectivo

Zonas verdes, parques, jardines

Zonas deportivas

Lugares de ocio

0%   20%   40%   60%   80%   100%

Tamaño del municipio de residencia
- Hasta 10.000 habitantes
- De 10.001 a 50.000 habitantes
- De 50.001 a 400.000 habitantes
- Más de 400.000 habitantes
- Total

Fuente: CIS, 2001

5. Relación con los vecinos

En general, se puede afirmar que los españoles se relacionan bastante con los vecinos. Ahora bien, conviene matizar que existen claras diferencias entre los pueblos y las ciudades. En los municipios pequeños mucha gente se conoce entre sí y las relaciones interpersonales ya vienen de varias generaciones, de modo que es común que los padres o los abuelos de unos amigos también tengan entre sí una relación de amistad. Por el contrario, el estilo de vida más ocupado y acelerado de las ciudades en muchos casos limita las oportunidades de relacionarse con los vecinos.

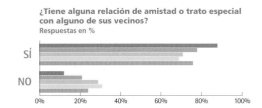

¿Tiene alguna relación de amistad o trato especial con alguno de sus vecinos?
Respuestas en %

SÍ

NO

0%   20%   40%   60%   80%   100%

Tamaño del municipio de residencia

Hasta 10.000 habitantes

De 10.001 a 50.000 habitantes

De 50.001 a 400.000 habitantes

Más de 400.000 habitantes

Total

Fuente: CIS, 2001

Créditos fotográficos

Capítulo 0

Página 8
Author's Image
El Teide. Los Roques (Tenerife).

Página 9
Author's Image
Clima marítimo de tipo europeo.
Porto do Son (La Coruña).

Author's Image
Régimen marítimo subtropical.
Cala Xarraca (Ibiza).

Author's Image
Clima continental.
Consuegra (Toledo).

Nuria Salido García
Clima subafricano.
Parque Natural Cabo de Gata (Almería).

Author's Image
Jubilados en una plaza.
Orduña (Vizcaya).

Página 10
PhotoDisc
Grupo de chicos y chicas.

Página 11
Brotons
Monumento a la Constitución. Madrid.

Página 12
PhotoAlto
Grupo de personas en el trabajo.

Página 13
Author's Image
Campos de cultivo.

Author's Image
Cala Figuera (Mallorca).

Página 14
Imágenes editadas por el Banco Central Europeo. Euros.

Página 18
Archivo Edelsa
Retrato del rey Alfonso XIII.

Archivo Edelsa
Cartel de la II República.

Archivo Edelsa
Cartel anunciador del llamado "bando nacional" en la Guerra Civil.

Página 19
Archivo Edelsa
Adolfo Suárez, presidente del Gobierno de 1976 a 1981.

Archivo Edelsa
Teniente coronel Tejero en el Congreso de los Diputados. Intento golpista del 23 de febrero de 1981.

Archivo Edelsa
Firma del Tratado de Adhesión a la CEE.

Archivo Edelsa
Expo'92. Sevilla.

Archivo Edelsa
Toma de posesión de José María Aznar como presidente del Gobierno en 1996.

Capítulo 1

Página 22
Cordon Press
Chicas con traje típico bailando sevillanas. Feria de Abril. Sevilla.

Author's Image
Abanico típico.

Página 23
Cordon Press
El bailarín Joaquín Cortés. Coliseum San Juan.
Puerto Rico.

Página 25
Author's Image
Parejas con trajes típicos de chulapps. Fiestas
de San Isidro. Madrid.

Capítulo 2

Página 28
Cordon Press
Cliente tomando unas raciones. Taberna San
Miguel (Casa El Pisto). Córdoba.

Author's Image
Ración de embutidos variados y porrón de
vino.

Cordon Press
Chiringuito en la playa.
Benicassim (Alicante).

Página 29
Cordon Press
Chica pagando la cuenta y cajera cobrando.

Cordon Press
Clientes tomando unos pinchos de tortilla.
Bar El Circo. Zaragoza.

Página 31
PhotoAlto
Chica cortando con la mano un alimento.

Cordon Press
Dueño sirviendo sidra a un cliente.
Sidrería típica.

PhotoAlto
Chico comiendo un bocadillo.

Nuria Salido García
Clientes tomando unas bebidas.
Bar El Derbiche. Madrid.

Capítulo 3

Página 34
Cordon Press
Horchata con plato de chufas.

Archivo D. Albareda
Racimo de uvas.

Página 36
Creativ collection
Caña de cerveza.

Nuria Salido García
Bodegas Tío Pepe.
Jérez de la Frontera (Cádiz).

Cordon Press
Fábrica de cerveza San Miguel.
Madrid.

Página 37
Nuria Salido García
Tienda típica de vinos y licores.
Nerja (Málaga).

Capítulo 4

Página 40
Ingram Publishing
Niña soplando las velas de tarta de cumpleaños.

Archivo Edelsa
Graduación. Universidad de Navarra.
Pamplona.

Página 41
Archivo Edelsa
Boda civil.
Firma de los novios y los testigos.

Ingram Publishing
Ramo de flores tradicional de la novia.

Página 42
PhotoDisc
Bandeja con *canapés*.

Página 43
Nuria Salido García
Boda religiosa. Intercambio de alianzas.

Nuria Salido García
Banquete. Tarta nupcial.

Página 44
Archivo Edelsa
Ceremonia de la primera comunión.

Página 45
Cordon Press
Funeral según el rito católico.

Capítulo 5

Página 48
Archivo Edelsa
Cocido típico.

Página 49
Cordon Press
Especialidades navideñas: polvorones, mazapanes y turrones. Casa Lhardy. Madrid.

Cordon Press
Bodegón de alimentos.

Página 50
Archivo Edelsa
Fabada asturiana.

Archivo Edelsa
Ajiaco.

Archivo Edelsa
Gazpacho.

Página 51
Archivo Edelsa
Paella valenciana.

Capítulo 6

Página 55
Cordon Press
Encuentro entre el Real Madrid y el F. C. Barcelona. Santiago Bernabeu. Madrid.

Página 57
Cordon Press
Castellers de Vilafranca. Tarragona.

Capítulo 7

Página 60
PhotoDisc
Chimeneas de fábrica.

Nuria Salido García
Puerto pesquero.
Tarifa (Cádiz).

Página 61
Nuria Salido García
Distintas imágenes del Parque Natural de Cabo de Gata (Almería).

Nuria Salido García
Distintas imágenes del Parque Natural de las
Islas Cies (Pontevedra).

Página 62
Author's Image
De arriba abajo y de izquierda a derecha: El
Teide (Tenerife), cactús típico (Islas Canarias),
San Bartolomé (Islas Canarias), Porto do Son
(La Coruña).

Página 63
Archivo Edelsa
Lince ibérico.

Archivo Edelsa
Águila imperial.

Nuria Salido García
Campo de aerogeneradores.
Punta de Tarifa (Cádiz).

Archivo Edelsa
Contenedores para reciclar la basura.

Capítulo 8

Página 66
PhotoDisc
Familia.

Página 67
Cordon Press
Sala de juegos para cuidar niños.
Al Campo. Madrid.

Página 68
Cordon Press
Personas mayores haciendo ejercicio.
Residencia de ancianos. Madrid.

Ingram Publishing
Padre dándole el biberón a su hijo.

Página 69
PhotoAlto
Chicos preparando la comida.

Capítulo 9

Página 72
Archivo Edelsa
Procesión de Semana Santa. Sevilla.

Página 73
Archivo Edelsa
Fiesta de Carnaval.
Madrid.

Cordon Press
Calle Preciados en Navidad.
Madrid.

Ingram Publishing
Decoración navideña: bola.

Página 74
Dolors Albareda
Niño con Rey Mago.
Calaf (Barcelona).

Author's Image
Fiestas de San Juan. Ciutadella.
Menorca.

Página 75
Author's Image
Típica chulapa. Fiestas de San Isidro.
Madrid.

Archivo Edelsa
Sanfermines.
Pamplona.

Miriam Moreno
Fallas.
Valencia.

Author's Image
Corrida de toros. Fiestas de San Isidro.
Plaza de Las Ventas. Madrid.

Capítulo 11

Página 82
PhotoAlto
Chicos consultando Internet.

Cordon Press
Personas haciendo la compra en un
hipermercado. Al Campo. Madrid.

Página 84
Cordon Press
Personas tomando un desayuno en un
restaurante de hotel.

Cordon Press
Familia en la sobremesa.

Página 85
Archivo Edelsa
Chicos en una discoteca. Madrid.

Nuria Salido García
Conjunto de velas.

Nuria Salido García
Gente en inauguración de exposición.
Galería Vacío 9. Madrid.

Capítulo 12

Página 88
Cordon Press
Señora con mascarilla en un instituto de
belleza.

Página 89
Cordon Press
El diseñador Roberto Verino con dos modelos.
Pasarela Cibeles. Madrid.

Foto cedida por Mango
Tienda de Mango.

Capítulo 13

Página 92
Brotons
Administración de lotería. Madrid.

Página 93
Cordon Press
Niños de San Ildefonso leyendo las bolas.
Sorteo de Navidad. Madrid.

Brotons
Quiosco de la ONCE.
Madrid.

Página 94
Nuria Salido García
Máquina "tragaperras". Bar El Derviche. Madrid.

Página 95
Cordon Press
Gente jugando en un casino.

Capítulo 14

Página 98
Brotons
Cabecera de periódicos.

Página 99
Archivo Edelsa
Portadas de diferentes revistas.

Página 100
Cordon Press
Periodista Luis del Olmo. La COPE. Madrid.

Página 101
Cordon Press
Bisbal, Rosa, David Bustamante, Chenoa y Manu Tenorio en una gala de OT.

Página 102
Productora El Deseo
Cartel de la película *Todo sobre mi madre.*

Página 103
PhotoAlto
Chicos consultando Internet en la oficina.

Capítulo 15

Página 106
Author's Image
Gente paseando. Las Ramblas. Barcelona.

Cordon Press
Gente pagando. Al Campo. Madrid.

Página 107
Nuria Salido García
Grupo de amigos de excursión. Guadalajara.

Nuria Salido García
Cantautora Sandra Crivelli. Concierto en la cafetería Cafetal. Madrid.

Nuria Salido García
Personas en un *pub* tomando algo y mirando un concierto. Madrid.

Página 108

Dolors Albareda
Senderismo en Suecia.

Dolors Albareda
Crucero por los fiordos. Noruega.

Author's Image
Gente en la playa.

Página 109

Nuria Salido García
Chica mirando una exposición. Galería Vacío 9. Madrid.

Dolors Albareda
Visita turística a la torre de Pisa. Italia.

Dolors Albareda
Visita turística al acuario de Ålesund. Noruega.

Capítulo 16

Página 112

Nuria Salido García
Boda religiosa. Homilía.

Andrea Fusco
Boda civil. Firma de los novios y los testigos.

Página 113
PhotoDisc
Pareja.

Página 114

Image 100
Parejas paseando.

Ingram Publishing
Mujer con bolsa de la compra.

Capítulo 17

Página 118
Author's Image
Catedral Santa María del Mar. Barcelona.

Página 119
Brotons
Sinagoga de Santa María la Blanca. Toledo.

Capítulo 18

Página 122
Andrea Fusco
Abrazo.

Página 123
Cordon Press
Conocidos dándose la mano.

PhotoDisc
Hombre saludando.

Ximena Feijoo
Amigas saludándose.

Capítulo 19

Página 126
PhotoAlto
Chico consultando correo electrónico.

Página 128
Foto cedida por Correos
Cajas de varios tamaños.

Foto cedida por Correos
Sobres.

Brotons
Buzón de Correos.

Brotons
Oficina de Correos. Madrid.

Página 129
PhotoDisc
Antenas.

PhotoAlto
Chica leyendo un mensaje SMS.

PhotoDisc
Hombre al teléfono.

PhotoDisc
Persona marcando un número en un teléfono fijo.

Capítulo 20

Página 132
Brotons
Hospital de día Pio XII.
Madrid.

Cordon Press
Enfermo en camilla.

Página 133
Ingram Publishing
Enfermera.

Cordon Press
Medicamentos varios.

Página 135
Cordon Press
Herbolario. Ossera.
Lleida.

Cordon Press
Paciente sometida a un tratamiento de
acupuntura.

Capítulo 21

Página 138
Cordon Press
Gato negro.

Página 139
Cordon Press
Mujer abriendo un paraguas en casa.

Archivo Edelsa
Estrella fugaz observada durante una lluvia
de las Perseidas.

Capítulo 22

Página 143
Archivo Edelsa
Mercado de la Boquería.
Barcelona.

Cordon Press
Hipermercado Al Campo.
Madrid.

Página 144
Cordon Press
Peluqueras peinando a una clienta.
Peluquería. Madrid.

PhotoAlto
Peluquera haciendo un peinado a una clienta.

Brotons
Farmacia. Madrid.

Brotons
Estanco. Madrid.

Brotons
Grupo de personas comprando revistas y
periódicos. Quiosco Pastrana. Madrid.

Página 145
Cordon Press
Rebajas. El Corte Inglés. Madrid.

Capítulo 23

Página 149
Cordon Press
Formulario de la Declaración de la Renta.

Capítulo 24

Página 152
PhotoDisc
Avión después del despegue.

Archivo Edelsa
AVE (Tren de Alta Velocidad).
Estación de Atocha. Madrid.

Página 153
Nuria Salido García
Puerto de Vigo.
Pontevedra.

Nuria Salido García
Turistas consultando un plano de metro.
Madrid.

Cordon Press
Estación de metro. Vagón. Madrid.

Página 154
Archivo Edelsa
Matrícula de coche actual.

Capítulo 25

Página 159
Author's Image
Monumentos Patrimonio de la Humanidad.

Página 161
Author's Image
Playa con sombrillas y tumbonas. Costa del Sol. Marbella (Málaga).

Author's Image
Calle de Ondarroa. Vizcaya.

Author's Image
Palacio Real. Madrid.

Nuria Salido García
Fuegos artificiales. Fiestas de Sanfermín. Pamplona.

Cordon Press
Parador Nacional. Chinchón (Madrid).

Página 162
Archivo Edelsa
Grupo de escolares haciendo senderismo.

Cordon Press
José María Arzak en su restaurante. San Sebastián.

Capítulo 26

Página 166
Nuria Salido García
Preparativos de la comida.

Nuria Salido García
Grupo de amigos en restaurante. El Escorial (Segovia).

Página 167
PhotoDisc
Ostras y vino blanco.

Página 168
Cordon Press
Detalle de desayuno típico.

Ingram Publishing
Copa de vino tinto y sacacorchos.

Página 169
Ingram Publishing
Cóctel variados.

Capítulo 27

Página 172
Nuria Salido García
Grupo de amigos en una visita.

Ximena Feijoo
Amigas despidiéndose.

Página 173
Nuria Salido García
Mesa preparada para la cena de Nochebuena.

Capítulo 28

Página 176
Corden Press
Escaparate de una agencia inmobiliaria.

Página 177
Cordon Press
Sección de electrodomésticos.
El Corte Inglés. Madrid.

Página 178
Archivo Edelsa
Pescadería

Brotons
Panadería. Madrid.

Nuria Salido García
Parque de Castrelos.
Vigo (Pontevedra).

Página 179
Nuria Salido García
Coches aparcados en una calle de La Latina.
Madrid.

Nuria Salido García
Edificio moderno de apartamentos. Madrid.

Digitalvision
Grupo de chicos y chicas.